ÉTONNANTS•

LÉONORA MIANO

Afropean Soul
et autres nouvelles

Présentation, notes et dossier par
JÉRÔME DESTAING,
professeur de lettres

GF Flammarion

ISBN : 978-2-0812-0959-6
ISSN : 1269-8822

SOMMAIRE

Afropean Soul
et autres nouvelles

Léonora Miano

PRÉSENTATION

Léonora Miano, une auteure remarquée

Léonora Miano naît en 1973 à Douala, au Cameroun, où elle passe son enfance et son adolescence. Arrivée en France en 1991, elle étudie la littérature anglo-américaine à Valenciennes, puis à Nanterre. Elle vit désormais à Paris et se consacre à l'écriture, une activité qu'elle a presque toujours pratiquée : premiers poèmes écrits à huit ans ; rédaction d'un roman par an depuis l'âge de seize ans.

Régulièrement interrogée par la presse sur la place qu'elle occupe dans le paysage littéraire français, elle refuse d'être uniquement considérée comme un auteur féminin *et* noir. Il ne s'agit pas pour elle de rejeter une étiquette pour affirmer le caractère unique et inclassable de son œuvre, mais de souligner l'universalité du point de vue qu'elle porte sur le monde et les hommes – certes nécessairement lié à son individualité. « Par la force des choses, je suppose que j'appartiens à une génération d'écrivains africains, mais ce n'est pas en ces termes que je pense à moi. Je suis un écrivain, et si je travaille à partir de ce que je suis (africaine donc, à l'origine), il me semble surtout parler d'humanité dans mes romans », confie Léonora Miano, qui précise : « Pour moi, dès qu'on dépasse la question biologique, le féminin et le masculin sont des constructions sociales et culturelles. Lorsqu'on décrit les caractéristiques de la littérature dite féminine, on se rend compte que bien des hommes ont une sensibilité féminine. En réalité, il n'y a que deux sortes de littérature : la bonne et la mauvaise. Laissons les étiquettes aux commerçants et aux esprits sans imagination[1] ! »

À ce jour Léonora Miano a publié trois romans, aux éditions Plon, tous remarqués du public et de la critique : le premier, *L'Intérieur de la nuit*, paru en 2005, a obtenu de nombreux prix, dont le prix Louis-Guilloux 2005 ; *Contours du jour qui vient*, publié en 2006, s'est vu décerner le prix Goncourt des Lycéens la même année. Tous deux ont pour cadre une Afrique violente, rongée par des maux que le continent peine à regarder en face, de façon responsable : guerres internes, superstition, poids excessif des traditions, même lorsqu'elles mettent en péril le présent et l'avenir des hommes. Ces romans sans concession, fondés sur une lucidité qui n'épargne aucun faux-semblant, forment une fresque africaine en trois temps, dont le deuxième volet, intitulé *Les Aubes écarlates*, n'a pas encore paru [2].

L'Intérieur de la nuit décrit un village, Eku, d'un pays imaginaire d'Afrique noire pris dans des conflits armés rongeant le territoire. Des miliciens violents, qui prônent dans leur discours radical la grandeur de l'Afrique souveraine et mère de toute civilisation, en prennent le contrôle et obligent les villageois à se livrer à un rite sacrificiel terrifiant dont un enfant sera la victime expiatoire. Aucun espoir de salut n'apparaît dans ce texte où règne la nuit la plus sombre. *Contours du jour qui vient* met en scène le personnage de la jeune Musango, narratrice du récit, dans un État également fictif d'Afrique noire. Comme l'enfant sacrifié du premier roman, elle est la victime d'un peuple qui, pour expliquer les horreurs qui le frappent, cherche des boucs émissaires plutôt que de se livrer à un examen critique de lui-même. Rejetée par une mère qui ne l'a pas aimée et qui l'accuse de lui porter malheur, Musango parvient

---

1. L'intégralité de l'entretien est à lire sur le blog du romancier Alain Mabanckou : voir http://www.congopage.com – article nº 3702, mardi 30 mai 2006.

2. Les premières pages des *Aubes écarlates* sont offertes à la lecture sur le site de l'auteure : http://www.leonoramiano.com.

à survivre et comprend peu à peu ce qui lui arrive et qui elle est, mettant ainsi fin à la fatalité qui semblait la nier et l'écraser. Son parcours est symbolique et emblématique : Musango est le visage de cette jeune Afrique en quête d'elle-même, d'une identité qui lui permette d'exister, et d'affirmer son existence.

Tels des astres éteints, le dernier roman de Léonora Miano, paru en 2008, déplace la perspective, situant son récit en Europe. Il suit les parcours d'Amok, de Shrapnel et d'Amandla – venus d'Afrique pour les deux premiers, d'un territoire d'outre-mer pour la troisième. Entre révolte, fierté et mal de vivre, chacun tente de surmonter une identité envahissante pour se révéler à soi-même. Dense et déstabilisant, il est le dernier volume paru d'une œuvre remarquable tant par l'intensité de son écriture acérée que par sa cohérence.

Afropean Soul et autres nouvelles, composé d'un ensemble de récits extraits d'un recueil plus conséquent et pas encore publié, prolonge *Tels des astres éteints* en offrant les portraits et tranches de vie de personnages dont le point commun (au moins pour quatre des cinq récits ici réunis) est d'être noirs, nés en Afrique ou d'origine africaine, et de vivre en France aujourd'hui (nous préciserons, bien sûr, cette première approche des textes ci-après). Singuliers dans l'œuvre essentiellement romanesque de Léonora Miano, ces récits brefs répondent aussi à une esthétique particulière de la nouvelle. Il convient dès lors de retracer les contours et l'évolution du genre, pour mieux pouvoir, ensuite, souligner les spécificités du présent recueil.

Le genre de la nouvelle

Une définition impossible

Définir le genre de la nouvelle n'est pas chose facile. Comme le roman, en effet, la nouvelle n'existe pas en tant que genre constitué, différencié et nommé comme tel dans l'univers littéraire de l'Antiquité gréco-romaine. Elle naît en dehors de tout cadre de référence, de création en création. Ses traits distinctifs ne s'élaborent qu'au fil des siècles, et il faut attendre le début du XIXe siècle pour que, cernant suffisamment ses contours, on la distingue de son grand frère le roman et on en fasse un genre à part entière. Si le XVIIe siècle français est riche d'œuvres que l'on perçoit aujourd'hui comme des nouvelles, héritières des textes de Boccace (auteur du *Décaméron*) ou de Marguerite de Navarre (auteure de *L'Heptaméron*), il hésite encore entre plusieurs termes pour les nommer : « histoires », « contes », « récits », « romans » parfois. Néanmoins, dès cette époque, le terme « nouvelle » est préféré à d'autres lorsque le récit ne dépasse pas une certaine ampleur et qu'il ne multiplie pas les intrigues. La brièveté est sentie comme le trait caractéristique du genre.

C'est le XIXe siècle qui finit par poser les contours de la nouvelle, conçue comme un genre possédant une esthétique propre, des enjeux et des effets qui y correspondent. La définition qu'en donne Charles Baudelaire dans les « Notes nouvelles sur Edgar Poe [1] » qui précèdent sa traduction des *Nouvelles Histoires extraordinaires* de l'auteur américain est éclairante : « Parmi les domaines littéraires où l'imagination peut obtenir les plus curieux résultats,

1. Les textes de Poe, précédés des « notes » de Baudelaire, paraissent en France en 1857.

peut récolter les trésors, non pas les plus riches, les plus précieux (ceux-là appartiennent à la poésie), mais les plus nombreux et les plus variés, il en est un que Poe affectionne particulièrement, c'est la *Nouvelle*. Elle a sur le roman à vastes proportions cet immense avantage que sa brièveté ajoute à l'intensité de l'effet. Cette lecture, qui peut être accomplie tout d'une haleine, laisse dans l'esprit un souvenir bien plus puissant qu'une lecture brisée, interrompue souvent par le tracas des affaires et le soin des intérêts mondains. »

Cependant, aussi lumineuse soit-elle, cette définition n'en est pas moins historiquement circonscrite. Liant d'emblée la « brièveté » à la recherche de l'« intensité de l'effet », cette esthétique est caractéristique de l'écriture de Poe. C'est pourtant cette définition que l'on retrouve de façon assez systématique aujourd'hui lorsqu'il s'agit d'aborder ce genre. Or limiter la nouvelle à la recherche de l'« intensité de l'effet » exclut du genre bien des textes antérieurs au XIXe siècle, bien des récits qui fondent leur construction sur autre chose qu'une esthétique du paroxysme. Cet écueil est la seconde difficulté que rencontre quiconque tente d'établir une définition universelle et figée d'un genre qui est né sans baptême, qui a grandi, s'est formé et transformé à sa guise. Or, la naissance de la modernité littéraire, sentie avec génie par Baudelaire[1] comme la nécessité pour l'artiste de créer du nouveau pour s'affirmer pleinement et rendre compte du caractère « transitoire », « fugitif » et « contingent » du monde moderne, offre une chance d'échapper à cette impasse : à chaque artiste d'inventer la forme qui convient à son époque. Dans cette perspective, chaque auteur fait donc courir à la forme dans laquelle il s'essaie le beau risque de la libérer en partie de la définition qui croyait la contenir et la cerner, en la réinventant.

---

1. Voir la dédicace à Arsène Houssaye des *Petits Poèmes en prose*, rédigée en 1862, et l'essai consacré à l'art et à l'œuvre de Constantin Guys, *Le Peintre de la vie moderne*, datant de 1863.

Approche esthétique

On l'a vu, il est un trait commun à la plupart des approches et des définitions successives de la nouvelle : la brièveté. Cette qualité n'est pas quantifiable, ce qui explique les hésitations durables quant au classement des genres : « Les nouvelles qui sont un peu longues et qui rapportent des aventures de plusieurs personnes ensemble sont prises pour de petits romans », écrit Charles Sorel au XVIIe siècle[1]. La traduction esthétique de ce caractère quantitatif est cependant plus aisée : pour pouvoir parler de nouvelle, il faut que tous les aspects du récit concourent à son unité narrative, donc à une certaine économie de ses moyens.

Par unité du récit, il faut entendre le choix d'un sujet restreint, avec un centre d'intérêt majeur ; cela passe par l'abandon des anecdotes et des digressions qui feraient s'éloigner du cœur du schéma narratif mis en place. L'entrée en matière de plain-pied, *in medias res*, est une autre caractéristique qui découle de la brièveté du récit : la nouvelle isole et éclaire un ou plusieurs moments dans le parcours des personnages, peu nombreux, qu'elle a choisi de raconter en les mettant en scène de façon immédiate. Ce resserrement de l'action, centrée sur le récit de moments privilégiés, rapproche souvent la nouvelle du genre dramatique, qui vise lui aussi à installer une action[2] tendue ; c'est ce que Baudelaire nomme l'« intensité de l'effet ». La brièveté autorise une lecture « tout d'une haleine », qui contribue évidemment à ressentir la tension narrative. La recherche d'un effet final, d'une chute ménageant une surprise, une révélation essentielle, apparaît dès lors comme l'aboutissement logique d'une esthétique fondée sur le récit de moments décisifs, voire paroxystiques, dans le parcours des personnages.

---

1. Cité par René Étiemble ; article « Nouvelle », *Encyclopædia Universalis*.

2. Le terme « dramatique », désignant toute forme d'œuvre théâtrale, est issu du grec *drama*, signifiant « action ».

Ce cadre esthétique général, communément admis, gagne à être nuancé ou précisé. Dans cette perspective, l'étude de l'origine du mot « nouvelle » est intéressante. Avant de s'appliquer à une forme littéraire, le terme a désigné des « choses récentes[1] » ; ce sens étymologique est aussi le premier donné par nos dictionnaires : « Premier avis qu'on donne ou qu'on reçoit d'un événement récent ; cet événement porté pour la première fois à la connaissance de la personne intéressée, ou du public » (*Dictionnaire des noms communs*, Petit Robert). Courant et premier, ce sens hérité du latin est à lire également dans le terme italien *novella*, lequel est, au XVe siècle, à l'origine du vocable désignant la forme littéraire ; la nouvelle a donc semble-t-il pour objet le dévoilement d'événements ou d'éléments neufs, ignorés jusqu'à présent et éclairant d'un jour nouveau le parcours des personnages mis en scène.

Une lettre de William Faulkner, rédigée en 1953, et citée dans *La Nouvelle Revue française* de janvier 1981, permet de concevoir ce qui se joue de nouveau dans ce qui est raconté des personnages d'une nouvelle : « Une nouvelle, c'est une cristallisation d'un instant arbitrairement choisi où un personnage est en conflit avec un autre personnage, avec son milieu ou avec lui-même. » Si cette définition fait écho à l'esthétique de l'instant signalée ci-dessus – comme l'indique le terme « cristallisation » –, sa perspective est néanmoins différente : les éléments nouveaux mis au jour par la nouvelle sont de l'ordre du rapport conflictuel à soi et aux autres.

Ce dévoilement de « choses nouvelles » permet également de mettre en avant celui ou celle dont le parcours est raconté. Le petit nombre de personnages, composante de la brièveté fondatrice du genre, permet de repenser la notion de héros de récit. Chaque per-

1. En effet, l'origine du mot est double : outre le terme italien *novella*, repris en français à partir du XVe siècle pour distinguer une forme littéraire, le mot « novele » est attesté dans la langue française dès le XIIIe siècle, dérivé du latin *novella* signifiant « choses récentes ».

sonnage se voit doté dans la nouvelle d'un statut de premier plan ; il accède au devant de la scène, se dévoile et raconte en partie sa vérité, sa vision de l'existence. Même si les personnages n'ont rien d'héroïque, au sens courant du terme, même s'ils peuvent apparaître dans cette perspective comme des antihéros, leur voix se fait entendre ; ils occupent seuls le devant du récit. Par conséquent, la nouvelle peut offrir la première place à celles et ceux qui d'ordinaire n'ont pas assez d'importance apparente pour être au cœur d'une fiction.

Aussi, « l'intensité de l'effet » si justement sentie par Baudelaire est à comprendre également en dehors de la recherche d'une surprise finale : intensité, conflictuelle dit Faulkner, du dévoilement de soi et intensité sociale, relationnelle, politique du parcours mis sous les yeux du lecteur. Si la nouvelle est bien révélation intense, celle-ci est à lire dans l'ensemble de ses choix esthétiques et narratifs. Une fois précisés les contours de la nouvelle, qu'on ne saurait réduire à l'effet de chute, il semble plus aisé d'aborder l'esthétique propre aux récits de Léonora Miano réunis dans ce recueil.

L'esthétique des récits du recueil

Les nouvelles de Léonora Miano ne sont pas construites dans le but de préparer un effet de surprise final. Par ailleurs, elles s'éloignent de la tradition du genre consistant à décrire, dans le parcours des personnages, un moment décisif pendant lequel leur vie connaît un changement radical et souvent irrémédiable. Aucun des cinq textes présentés dans ce volume ne repose sur une situation de crise. Lorsque Léonora Miano déclare que « la longueur du texte ne joue pas[1] », elle marque sa distance à l'égard de l'esthétique du resserrement des effets précédemment évoquée.

Délaisser ce procédé ne signifie pas pour autant renoncer à toute tension au sein des nouvelles ; celle-ci réside dans la découverte que font les personnages de la complexité ou de la fragilité de leur propre identité et du rapport douloureux qui les lie au monde dans lequel ils évoluent. Chaque nouvelle fait entrer le lecteur, souvent de façon abrupte, dans le quotidien difficile des personnages. L'expression choisie par l'auteure – « photographies d'un moment[2] » – pour qualifier ses textes doit être entendue en ce sens : les quelques heures de la vie des personnages qui sont racontées lèvent le voile sur une réalité qui est dure, de façon continue : « Certains habitants de ce pays vivent un tumulte sans trêve », indique la nouvelle « 166, rue de C. ».

Toutefois, l'intensité propre aux récits ne réside pas seulement dans les parcours exposés ; elle est aussi un ressort de l'écriture de Léonora Miano : la continuité de la tension narrative est telle que les récits ne connaissent pas de temps mort.

Sur ce fond continu, sans pause, se détachent des temps d'intensité accrue laissant apparaître la violence d'un style qui introduit brutalement des termes et des faits sur lesquels le lecteur vient butter. Loin de la recherche d'effets harmonieux, il s'agit de faire exister un mot, une expression, une image dans toute sa puissance expressive et révélatrice, de l'imposer au lecteur. Les effets de reprise et d'insistance ajoutent encore à la force d'une esthétique que Léonora Miano qualifie elle-même de « brute et excessive ».

Lorsque l'auteure indique à propos de ses récits qu'ils sont des « photographies d'un moment, plus que de longs questionnements », il ne faut pas se méprendre. Bien qu'ils n'offrent pas de

1. Voir l'entretien avec Léonora Miano dans le dossier, p. 93.
2. *Ibid.*, p. 92.

« longs questionnements » sur les hommes et le monde, ils sont le fruit d'une vision du monde, nourrie d'une réflexion subjective. « Les questions sociales et politiques de mon temps m'intéressent », affirme Léonora Miano. Dans ses nouvelles, les personnages connaissent exclusion, discrimination, déclassement social – autant de maux spécifiques à notre époque. L'identité, l'appartenance à une nation, les foyers pour marginaux, l'excision, les emplois précaires ou peu valorisants, les quartiers ghettos sont autant de thématiques sociales et politiques qui traversent les récits. Si les textes de Léonora Miano se font l'écho du regard critique qu'elle porte sur la France et sur les choix de son gouvernement, ils n'ont pas vocation cependant à illustrer des questions de société contemporaines. Le titre et le sous-titre du recueil, étudiés ci-après, indiquent que les récits explorent et interrogent avant tout des parcours d'hommes et de femmes, des consciences individuelles.

Parce qu'elle lève le voile sur les dysfonctionnements de notre temps, sur des souffrances jusque-là souvent passées sous silence, Léonora Miano peut être perçue comme une auteure engagée. Cependant, elle se méfie de cette approche. L'auteur engagé court toujours le danger d'être sommé de choisir un camp, politique ou idéologique, au risque de voir son propos réduit à la défense et à l'illustration de thèses qui préexistent au travail de création littéraire. Léonora Miano reprend à son compte une position proche de celle exprimée par Sartre [1] : se sentir engagé dans son temps et sensible aux difficultés contemporaines ne signifie pas rallier un parti. S'inscrire de façon exclusive dans une communauté, sociale ou d'opinion, revient à s'appauvrir, selon le personnage principal de la nouvelle « Afropean Soul », parce que ce choix génère à son tour de l'exclusion et du rejet, et fait perdre de vue une approche globalement et irréductiblement humaine de l'autre.

---

1. Voir dossier, p. 109.

« Petites histoires de pièces rapportées »

Titre et sous-titre

Le titre d'une œuvre littéraire est toujours plus qu'un simple étiquetage, qui renseignerait sur le contenu de ce qui le suit : il sollicite d'emblée l'imagination du lecteur qui accède à l'œuvre à travers lui. Les titres des romans de Léonora Miano, *L'Intérieur de la nuit*, *Les Aubes écarlates*, *Contours du jour qui vient* et *Tels des astres éteints*, créent un univers symbolique où s'affrontent l'ombre et la lumière, installant avant la lecture une atmosphère, ou couleur romanesque.

De la même manière, *Afropean Soul* est un titre poétique[1], c'est-à-dire susceptible de laisser entrevoir l'univers du recueil, ses thèmes et ses tonalités. Le néologisme « afropean » n'inscrit pas les nouvelles uniquement dans la thématique de l'exil : les personnages principaux ne sont pas tous nés en Afrique et les récits ne rendent pas compte uniquement de la difficulté à vivre entre deux continents – Afrique et Europe. Ce que révèlent les nouvelles, c'est la douleur pour chacun d'exister dans le mélange de deux cultures, de deux langues parfois, de deux visions du monde et de l'homme ; à proprement parler, les personnages du recueil sont des chimères, ces êtres composites de la mythologie antique. Les nouvelles révèlent leur fragile identité, reflet du conflit qui se joue au plus intime d'eux-mêmes, ce qu'indique l'anglais *soul* (« âme » en français).

Le sous-titre entretient un rapport de complémentarité avec le titre. En outre, « Petites histoires de pièces rapportées » souligne l'unité du recueil et, par la polysémie qu'il comporte, offre des

1. « Poétique » est issu du terme grec *poièsis* désignant toute forme de création.

pistes nombreuses pour l'interprétation des récits. « Petites histoires » renvoie bien sûr à l'esthétique de la brièveté, fondatrice du genre de la nouvelle, et pourrait être la traduction de l'expression anglaise qui sert à désigner cette forme, *short story*. Cependant l'adjectif « petites » suggère le caractère commun des personnages dont les « histoires » racontent les aventures : ils ne possèdent pas assez de relief pour s'apparenter à des figures héroïques ; précisément, les récits dévoilent le parcours de petites gens dont la vie n'est pas *a priori* romanesque, c'est-à-dire digne d'un roman, d'une fiction. L'individu que l'on suit ici est « celui qu'on voit passer dans la rue sans savoir qui il est vraiment[1] ».

L'expression « pièces rapportées » est elle aussi polysémique. La nouvelle se présente souvent comme une courte pièce, une mise en scène d'un moment particulier et délimité dans le parcours des personnages. C'est le cas ici : les nouvelles vont « rapport[er] » des moments, les décrire en les installant dans un décor. Mais le groupe nominal « pièces rapportées » désigne également les personnages eux-mêmes – éléments ajoutés à un ensemble dans lequel ils ont du mal à trouver leur place, leur fonction. Dans cette perspective, chaque protagoniste est un élément d'un vaste ensemble, le morceau d'un puzzle : le jeu social complexe dans lequel il peine à se situer.

Offrir la parole à ceux qui ne l'ont pas ordinairement, faire entendre la voix des « âmes afropéennes » de la France d'aujourd'hui est donc le cœur du recueil.

« Depuis la première heure »

« Je n'ose pas rentrer. » Introduire le lecteur, dès les premiers mots, au cœur de l'histoire est un procédé narratif classique. Mais il ne s'agit pas pour Léonora Miano d'isoler un moment particulier

1. Voir l'entretien avec Léonora Miano, p. 92.

dans le parcours du jeune homme qui s'exprime ici : l'entrée dans la nouvelle est abrupte parce que le rapport que le personnage entretient au monde l'est aussi, de façon permanente, comme l'indique le présent de l'indicatif.

L'identité du personnage-narrateur se dessine par petites touches, au fil de la nouvelle : jeune footballeur prometteur ayant quitté sa ville natale – Douala – et les siens pour réussir en France, il a été victime d'un agent peu scrupuleux ; il raconte alors la rapidité et la violence de l'exclusion sociale et humaine qu'il a subie, la honte de cet échec qui le paralyse et l'empêche de retourner au Cameroun pour mettre fin à son errance.

Celui qui parle ici est en voie d'« effacement » dans le monde qui l'entoure : sans contact humain ni lien social. Le « je » qui soliloque traduit un flux de conscience que personne n'entend en France et que personne ne voudrait entendre en Afrique. Comment exister dans la solitude de la parole ? Il est significatif que le lecteur ne connaisse ni le nom ni le prénom du narrateur. Comme les autres personnages d'*Afropean Soul*, c'est un anonyme dont la voix n'existe pour personne, sauf pour le lecteur de la nouvelle.

C'est une double désappropriation qui caractérise la première « âme afropéenne » du recueil : l'Europe ne se laisse pas conquérir et l'Afrique semble perdue pour celui qui l'a quittée. L'errance physique et géographique du personnage en France et entre France et Afrique traduit évidemment une errance intérieure.

Le monde européen est perçu comme une énigme par le narrateur et le monde africain n'est pas plus simple à appréhender. Cette première nouvelle esquisse le conflit douloureux entre l'individu, nié comme valeur inaliénable, et la loi de son groupe social d'origine, qui entretient des tabous collectifs qu'il impose à chacun – opposition essentielle dans l'œuvre de Léonora Miano. C'est dans cette position, douloureuse, que se tiennent les personnages du recueil. L'expression « bactérie neutralisée » employée au début et à la fin de la nouvelle traduit la négation de l'identité :

étymologiquement, est « neutre » ce qui est « ni l'un ni l'autre », donc sans existence réelle. L'adjectif « afropean » doit être lu ainsi : non pas comme la fusion heureuse et enrichissante de deux cultures, de deux univers, mais comme une double amputation. Créer un tel mot-valise n'est possible qu'en supprimant l'intégrité de chacun des deux termes qui le composent. Le sentiment de double perte et le malaise qu'il suggère crée la tension de la nouvelle, dont la construction est par ailleurs dramatique. Ici, la structure du récit ne vise pas à préparer un effet de surprise final ; elle souligne le caractère tragique d'une histoire dont l'absence d'issue est d'emblée annoncée. Le dernier paragraphe reprend l'*incipit*, presque mot pour mot : la répétition cyclique condamne le personnage à un ressassement douloureux, l'inscrit en permanence dans son conflit intérieur. Tout est « sombre » « depuis la première heure » : le garçon vit prisonnier d'un monde sans lumière, c'est-à-dire sans espoir de lendemain.

« Fabrique de nos âmes insurgées »

Le titre de la deuxième nouvelle du recueil annonce le dévoilement d'un processus : comment se fabrique une âme insurgée. Écrit à la troisième personne, le texte présente la vie d'Adrien, âgé de neuf ans, et de sa mère, insistant sur le regard que le jeune garçon porte sur le monde qui l'entoure. Adrien est un enfant : celui qui, étymologiquement, ne parle pas encore en son nom propre, ne possède pas vraiment de vision structurée, personnelle et formulable du monde. L'enjeu du récit est de rendre compte de la naissance d'une conscience du monde. Comme souvent dans l'œuvre de Léonora Miano, cette genèse comporte en elle la possibilité sinon de vaincre la fatalité, du moins de la contester parce que cette dernière sera perçue, entrevue, mise à distance critique.

La nouvelle cependant ne raconte pas une libération ni un affranchissement. La fin de l'histoire laisse les personnages dans une situation identique à celle du début, ce que suggère la reprise, dans le dernier paragraphe, de la phrase initiale – « Il fait noir » –, dont le sens symbolique donne au texte sa tonalité. Par conséquent, le récit répète la construction close de « Depuis la première heure » et l'enfermement du personnage dans une réalité sociale dont il ne peut s'échapper. Mais ici émerge une conscience individuelle, celle d'Adrien, sur le point de voir le jour dans la noirceur environnante. L'emploi de l'adjectif « insurgé[e] » dans le titre indique qu'elle se lève pour refuser ce qui semble une fatalité sociale. « Adrien comprend ces choses à sa manière. »

La fiction sauve de l'effacement définitif deux individus qui ne se font pas entendre ou qui ont renoncé à se faire entendre : Adrien et sa mère, dont le garçon perçoit la solitude sans fond, la relégation sociale, le décalage entre son discours moral et le règne de l'argent facile dans la société contemporaine. Parce qu'elle n'est pas française et qu'elle ne peut enseigner sans avoir cette nationalité, la mère d'Adrien, diplômée en lettres, n'est plus qu'une voix répondant au téléphone du standard de l'« Institut M. ». La privation de la parole est au cœur du processus qui fait de la jeune femme une femme « disparue ».

« Filles du bord de ligne »

« Filles du bord de ligne » met en scène un groupe de jeunes filles d'un milieu défavorisé, dont on ne connaît ni le prénom ni le parcours. Sans identité propre, les jeunes filles se ressemblent, se déplacent et agissent « en grappes », unies moins par des liens d'amitié que par un souci commun : se protéger contre ce qui n'est pas elles. Toute altérité est vécue comme une menace.

Dès lors, la nouvelle se structure en deux temps : la traduction de cette absence d'identité individuelle et la mutilation dont elle est l'expression.

Les jeunes filles ne parlent pas ; elles ne sont jamais dans l'échange verbal, dans la construction d'un rapport à l'autre médiatisé par le langage. Le texte détaille ce qui, en l'absence de mots, leur permet d'exprimer ce qu'elles sont : la danse, dans la rue ; les menaces et les insultes ; l'agression d'autres jeunes filles, blanches et favorisées. La violence engendrée par la privation de parole trouve dans cette troisième nouvelle son expression la plus forte : celles ou ceux qui ne disposent pas des moyens d'exprimer leur identité, leurs sentiments, sont condamnés à trouver d'autres voies pour s'affirmer, dans le déni de l'autre.

L'enfermement psychologique qu'entretient l'absence d'expression juste et nuancée de soi est traduit par un isolement géographique dont la symbolique structure la nouvelle dès le titre. La rue n'est pas « ligne de jonction » pour ces filles mais ligne de séparation, de démarcation entre deux univers sociaux qui ne communiquent que dans la rivalité et l'affrontement. Leur quartier n'est pas un lieu d'épanouissement mais le seul qu'elles puissent déchiffrer. Elles se l'approprient comme le ferait un animal d'un territoire.

Elles « habit[ent] la césure ». L'expression présente dans le dernier paragraphe du texte éclaire l'ensemble de la nouvelle ; tout est séparation dans la vie de ces jeunes filles : césure entre leur quartier et le reste, entre leur quotidien et la vie dont elles rêvent, calquée sur celles de quelques stars du r'n'b. Mais la césure violente qui structure leur rapport à la réalité trouve sa source dans l'excision, coupure intime subie enfant, jamais cicatrisée et jamais dite, symbole d'une identité mutilée, d'une intégrité niée. La narration à la troisième personne prend en charge, avec une empathie perceptible, leur parole impossible.

« Afropean Soul »

La nouvelle éponyme possède un statut particulier : elle offre une clé de lecture ; elle est révélatrice du projet général de l'auteur. À travers l'histoire du jeune homme que l'on suit ici, « Afropean Soul » dessine pour le recueil ce que peut être une posture morale face au monde.

Le texte est organisé en deux temps, autour d'une question centrale, explicitement posée par le personnage : celle de la nature de l'identité des Afropéens en France aujourd'hui.

Dans un premier temps, les choix politiques récents du pays – clairement critiqués par Léonora Miano – amènent le jeune homme de la nouvelle à s'interroger sur la place que lui accorde la France : le sentiment de ne pas appartenir à part entière à l'« unité historique de la nation » se fait jour en lui, dans le monde du travail (il est, comme la mère d'Adrien, une simple voix, parmi d'autres téléopérateurs, obligé de changer de prénom et de nom pour ne pas rebuter les futurs clients démarchés) et au quotidien (en témoignent les propos de l'ivrogne).

Dans un second temps, le jeune homme assiste à une manifestation rendant hommage à un petit garçon noir tué accidentellement par un jeune policier. Le personnage remarque alors comment la réduction de l'individu à son appartenance communautaire est reprise et exploitée par des radicaux nationalistes noirs, appelant les manifestants présents à l'unité des « *fils de Kemet* » de façon revendicatrice.

Le point commun entre les deux temps de la nouvelle, *a priori* différents, est le refus pour le personnage, porte-parole ici de l'auteure, d'une posture morale autre qu'humaniste : il « ne se sent[ait] pas *fils de Kemet*, mais homme, tout simplement » ; se définir en fonction de son appartenance à un groupe revient à s'enfermer, à nier en soi la possibilité d'appartenir de façon universelle à l'humanité. La tentation communautariste est à l'origine de toutes les dérives extrémistes : « tous les extrémismes étaient les mêmes, [...] l'autre était leur ennemi ». La nouvelle se termine sur le dernier mot de la devise de la République : « fraternité ». C'est ce statut de frère que l'on refuse en France à ce jeune homme, qui reste sans nom, donc emblématique, jusqu'à la fin du texte ; c'est aussi ce statut que combattent toutes les démarches identitaires et communautaires selon l'auteure.

La nouvelle n'offre pas de solution : le personnage reste avec son identité à construire au sein de la nation française. Mais le récit décrit un moment de vie qui est un éveil, une prise de conscience, libératrice en soi.

« 166, rue de C. »

La dernière nouvelle du recueil introduit le lecteur dans « un autre monde », celui des femmes qui trouvent un refuge provisoire dans un centre d'hébergement d'urgence situé dans Paris. Convoqué par le narrateur qui s'adresse à lui à la deuxième personne du pluriel, le lecteur ne pourra détourner les yeux de cet univers d'exclues, séparées du monde par une porte noire, avant la fin du récit. Dès lors, le texte se présente comme une initiation au cours de laquelle la narratrice, une ancienne du centre, servira de guide. Le but est de faire du parcours de ces femmes la question de tous. Dans cette perspective, la narratrice se présente comme une voix symbolique, représentant l'ensemble de celles qui sont accueillies dans le centre : « nous nous confondons inlassablement ». Ces choix narratifs disent de façon explicite ce que chacune des quatre nouvelles précédentes suggérait implicitement : les « petites pièces rapportées » constituent une mosaïque humaine vivant en marge de la société, qu'on ignore ou que l'on veut ignorer, et dont les récits révèlent au grand jour la présence.

Par ailleurs, la narratrice explique qu'elle prend en charge l'histoire de ces femmes car leur parole est défaillante, incapable de rendre compte fidèlement de ce qu'elles vivent et ressentent : « Comme toutes les femmes du 166, elles emploient un mot pour un autre. La parole n'est jamais ce qu'elle semble. » La narration n'est donc pas omnisciente : celle qui parle ne sait pas tout et ne peut tout exprimer : « les mots ne viendraient pas ». Elle est dépositaire d'une parole qui dépasse sa simple individualité : elle se met au service de celles qui ne savent pas dire ce qu'elles ressentent. Éprouvées par la vie, elles peinent à savoir qui elles sont, chacune vivant dans le risque permanent de « se désunir une fois de plus ». L'unicité et la continuité de la voix narrative est là pour pallier la menace de dispersion et de disparition.

Multipliant les portraits, la nouvelle se distingue des autres textes du recueil, centrés sur un ou quelques personnages seulement, et constitue une mise en abyme du choix esthétique qui préside à l'ensemble des récits : figurer une certaine partie de la population française – qui ne saurait être réduite à un parcours emblématique –, par touches successives pour en saisir les contrastes et en embrasser la complexité. Chaque « petite pièce » est unique, chacun des personnages vit une existence fragmentée, comportant des zones obscures, des douleurs tues. En exposant des portraits incomplets, « 166, rue de C. » fait entendre la part d'ombre de chacune des vies racontées dans ce recueil.

Les cinq nouvelles confortent leur unité dans l'importance qu'elles accordent à la parole.

Ceux dont la parole est inaudible n'existent pas, ni pour les autres ni pour eux-mêmes. L'absence de dialogue dans les nouvelles est significative. C'est l'échange qui fait l'humanité. Les âmes afropéennes en sont privées : leur identité et leur humanité sont donc contestées.

L'enfermement dans une solitude intime et douloureuse est la première conséquence pour celles et ceux dont les mots ne sont accueillis ou considérés par personne. La surdité du monde à l'égard de cette parole aboutit à un enferment social. Les personnages d'*Afropean Soul et autres nouvelles* connaissent l'exclusion, sans qu'aucune issue semble possible.

Si noirs soient-ils, les textes ne sont pas désespérés. Ils refusent le renoncement : il est utile, vital même, que la parole de l'autre soit rapportée. La valeur morale de la narration est évidente : à la première personne ou à travers la voix d'un narrateur, les nouvelles ne cessent de dire les personnages, d'exprimer ce qui ne l'est pas ouvertement ou de façon éclairante parce que ces vies n'existeraient pas sans le récit qui en est fait.

Ainsi, la parole de l'écrivain, relayée par celle des différents narrateurs, est-elle salvatrice : pouvoir nommer, parfois avec violence et crudité, ce qui nuit aux personnages, est un moyen de faire partager au lecteur ce dont ils souffrent et de les sauver ainsi de la disparition.

Inlassablement, chacun des textes répond à la question du sens de la parole littéraire aujourd'hui : bien qu'elle soit incapable de guérir les maux de l'humanité, elle refuse l'anéantissement par le silence, elle refuse l'informulé parce qu'il est pour l'homme la fatalité supérieure.

Afropean Soul

Petites histoires de pièces rapportées

Depuis la première heure

Je n'ose pas rentrer. Même si ici, tout est sombre depuis la première heure du premier jour. Je ne peux pas rentrer. Laisser la honte s'abattre sur moi. Les railleries[1] et le mépris des autres m'engloutir. Autant mourir ici. Comme une bactérie neutralisée. Que personne, jamais, n'en sache rien. Parfois, je me dis que si je prenais simplement mes cliques et mes claques[2], si je retournais au pays, j'y trouverais peut-être plus que ce néant où je patauge, depuis la première heure du premier jour. Il me suffirait de pénétrer dans la cour de notre concession[3]. De m'asseoir à terre. J'étendrais devant la famille mes mains vides. Ouvertes. Je les étendrais en avant. La paume regardant le ciel. Je dirais alors : « Me voici. Tel qu'au jour de mon départ. Nu. Démuni. Vivant et volontaire. » Je serais prêt à trouver sur place de quoi valoriser mon existence. Peut-être qu'elle ne serait pas clinquante, ma vie. Peut-être que je n'aurais rien d'extraordinaire à faire valoir. Pas de grosse voiture. Pas de maison à deux étages. Ce ne serait qu'une vie d'homme.

Parfois, il me vient à l'esprit que je pourrais faire cela. M'asseoir parmi les miens. Leur dire simplement que la France

---

1. ***Railleries*** : moqueries.

2. « Prendre ses cliques et ses claques » est une expression familière qui signifie « partir en emportant tout ce que l'on possède ».

3. ***Concession*** : en Afrique, terrain clos regroupant un ensemble d'habitations, occupées souvent par une même famille.

ne m'a pas réussi. Que je n'y ai réalisé aucun des mes rêves. Que, au contraire, des cauchemars d'une espèce inconnue ont commencé à danser entre mes tempes. En permanence. Je pourrais leur conter les milliers des nôtres qui meurent de leurs nuits sans sommeil et dont les cadavres errent dans les rues de la France. Il arrive que ces morts vivants feignent de croire que le temps n'a pas passé, qu'ils sont encore aussi jeunes qu'au jour de leur arrivée. Aussi forts. Aussi talentueux. Ils continuent de dire qu'il suffit qu'on leur donne des papiers, qu'on les laisse entrer sur un terrain de football.

Je pourrais leur dire ceux qui empruntent, ici ou là, l'argent et les vêtements qui leur servent à éblouir la galerie[1] lors de leurs vacances annuelles au pays. Évoquer tous ceux qui ne vivent plus que dans l'attente de ces quelques semaines au cours desquelles ils pourront, eux aussi, être enviés. Je raconterais tous ces jeunes gens brillants qui avaient toujours eu les honneurs du tableau, des mentions à la pelle, et qui n'ont tout simplement pas pu se faire à l'hiver, au mépris, à la brutalité policière… Ceux qui, entourés et choyés sur la terre de leurs pères, ne surent s'accoutumer aux rigueurs de la vie d'ici. Tout à coup, ils se sont mis à échouer à tous les examens. Ils n'ont achevé aucun cycle d'études. Un matin, las, en deuil d'eux-mêmes, ils ont cessé d'aller à l'université. Ils ne sont pas rentrés au pays, où on attendait tellement d'eux. L'honneur d'un patronyme[2] trop lourd sur leurs épaules les a rivés à la noirceur et à la vacuité[3].

Je décrirais le travail au noir pour lequel on n'est pas toujours payé. Les squats insalubres[4] dont il faut bien se satisfaire, puisqu'on s'est condamné à ramper dans les boyaux de la France. Jusqu'au jour de l'expulsion, un petit matin obscur et brumeux où on sera jeté dans un avion. Menottes aux poignets. Cette aube

---

1. ***La galerie*** : ici, ceux qui sont présents.

2. ***Patronyme*** : nom de famille.

3. ***Vacuité*** **:** vide.

4. ***Insalubres*** : qui ne sont pas sains, qui sont susceptibles de nuire à la santé.

funeste nous court après, ici. Je dirais le chômeur en fin de droits. Le sans-logis. Le mendiant. La valeur de la misère ajoutée[1] que viennent collecter les huissiers, sans distinction de race, de sexe ou de religion. Ce pays ne peut rien pour nous, et certainement pas nous faire rêver : qu'y a-t-il à attendre de qui ne produit pour les siens que le manque et l'exclusion ? Un tel pays ne peut rien nous enseigner. Un tel pays n'a pas de leçons à donner. Nous devons cesser de tourner vers lui nos regards et nous inventer nous-mêmes. Nous devons voir, au-delà de cette blancheur que nous crûmes surnaturelle, des humains comme nous : faibles et imparfaits. Fragiles et apeurés. Eux aussi.

Je pourrais dire bien des choses aux miens, pour qu'ils comprennent que l'Occident n'est pas ce qu'ils imaginent. Qu'il n'est qu'un immense sépulcre[2] pour nombre de ses autochtones[3]. Sa civilisation lumineuse ne donne aujourd'hui, à ses propres enfants, qu'un avenir précaire et des caravanes en guise de logement. Je dirais l'incroyable : ces petits fonctionnaires chargés de l'intendance du pays, qui dorment dans leur voiture. Je dirais tous ces impensables. Pour que les miens comprennent que la descendance des conquérants ne mérite pas le piédestal d'où nous la laissons encore nous impressionner. La vie lui est devenue trop cruelle pour qu'elle irradie encore. À l'instant même où je voudrais énoncer ces vérités, ils cesseraient de m'écouter. Ils diraient qu'on ne peut pas revenir les mains vides de *Mbengué*[4]. Qu'il faut vraiment être nul. Ils diraient que mon échec ne doit pas les empêcher de tenter leur chance, que l'amertume me pousse au délire. Ils affirmeraient qu'une misère occidentale est forcément moins rude qu'une misère africaine. Car après tout, l'Occident tient le monde au creux de sa main blanche. Comment pourrait-il ne pas être un paradis ?

---

1. ***La valeur de la misère ajoutée*** : jeu de mots avec TVA, taxe à la valeur ajoutée.

2. ***Sépulcre*** : tombeau.

3. ***Autochtones*** : originaires du pays où ils vivent.

4. L'Occident, en langue douala du Cameroun. (NdA)

Il m'est donc impossible de rentrer au pays, même si j'ai mordu la poussière givrée du sol de France sitôt arrivé. Je devais jouer au football. Devenir une vedette. Je n'ai jamais vu un terrain. Pas même les vestiaires d'un club de deuxième division. On m'avait promis monts et merveilles. Il ne m'est resté qu'un refus de délivrance de titre de séjour, et un arrêté de reconduite à la frontière. La police, à laquelle je n'ai pas opposé la moindre résistance, m'a laissé libre d'aller récupérer mes effets chez cet agent camerounais qui nous avait fait venir en France, d'autres adolescents et moi. Je m'y suis rendu, croyant que les dés n'étaient pas jetés. Pas tant que je n'avais pas marqué de mon empreinte la pelouse d'un terrain de football hexagonal. Pas tant que les commentateurs sportifs n'avaient pas retenu mon nom, le faisant retentir dans les quartiers populaires de Douala : Bépanda, Ndogbong, Deïdo, New-Bell…

Je suis retourné au domicile de cet homme. L'agent. Il habitait un appartement HLM du XIXe arrondissement de Paris. Le bail [1] n'était pas à son nom, mais à celui de sa femme. Enfin, celle qu'il avait en France. Il en entretenait une dans chaque port où ses affaires le conduisaient, d'Afrique en Asie du Sud-Est. Il plaçait des jeunes dans les équipes de football du monde entier. Seuls les plus prometteurs pouvaient prétendre au paradis vert des stades occidentaux. J'avais été choisi pour être de ceux-là. Alors, il allait m'aider. J'étais un investissement. Il n'allait pas les laisser me renvoyer à la poussière ocre de nos terrains de fortune. Il allait payer un avocat. En référer au club qui m'attendait, et qui ferait savoir aux autorités que j'étais son élu. Moi, choisi entre des centaines d'autres. Tout cela ne pouvait être qu'un malentendu. L'agent m'a expliqué que ce n'était pas si simple. Il avait versé des pots de vin pour un faux visa qu'on lui avait vendu pour un vrai. Pourtant, il croyait avoir des contacts fiables au consulat de France à Douala. Il ne pouvait rien faire. Je devais

---

1. ***Bail*** : contrat passé entre le loueur et le locataire.

110 m'en aller. Que dire aux autres ? Ils m'avaient vu partir pour devenir un lion indomptable[1].

Je suis sorti pour acheter une baguette. Sa femme m'avait donné de la menue monnaie, avant de me prier de descendre à la boulangerie. Je ne suis pas revenu. D'abord, je voulais seulement 115 réfléchir. Prendre un peu l'air. La nuit m'a trouvé dans la rue, hébété[2] devant ce casse-tête dont je cherche encore la solution. Comment faire pour laver ma honte et rentrer la tête haute ? Au moins glaner quelques euros, çà et là. Économiser pour monter un petit commerce. Cependant, sans papiers, on ne gagne pas 120 grand-chose. On n'économise rien. Des jours et des semaines s'écoulent, au cours desquels on ne voit briller que de petites pièces. On peut juste s'offrir des biscuits chez Ed. Même pas une baguette. Le pain est trop cher. Le pain est un luxe. Dans la rue, j'ai fait des rencontres. Personne qui se soucie de mon histoire. 125 Rien que des tuyaux pour me loger la nuit avant de décamper au petit jour. Rien que des compagnons de fuite, maîtres dans l'art d'échapper à la police. Cette science requiert tout le temps, toute l'énergie dont on dispose. On ne pense plus qu'à ça. Courir. Se cacher partout : Paris, banlieue, province, Paris. Le tour de France 130 de l'effacement.

On compte une année, puis deux. On ne peut toujours pas retourner chez soi. Parce qu'on se doit à tout un clan qui végète dans un pays où les malades doivent arriver à l'hôpital avec leur seringue et leurs médicaments. Parce qu'on a laissé une mère 135 veuve de l'époux dont elle était la quatrième possession féminine légale. Parce qu'on est son fils unique, son dernier espoir de n'avoir pas subi pour rien tout ce qu'elle a enduré. La relégation au fond de la concession. Le mépris des coépouses dont elle avait ravi les privilèges nocturnes, étant le dernier caprice du mari. Que

1. Les joueurs de l'équipe nationale de football du Cameroun sont surnommés les Lions indomptables.

2. ***Hébété*** : abasourdi ; dans un état d'abrutissement total.

faire en face des demi-frères, ces aînés qui n'aiment pas le fils de la dernière épouse ? Ils avaient eu l'œil terne, le sourire évanescent[1], à l'annonce du départ. Ils avaient dit qu'ils ne pourraient, évidemment, pas y contribuer financièrement. On ne leur avait demandé qu'une bénédiction de principe. Ils avaient organisé un repas d'adieux. Pour la forme.

Parfois, je rêve que j'y retourne, au pays. Incognito[2]. Je me laisse échouer sur la plaine côtière qu'est la ville de Douala. Sans rien dire. Sans chercher à voir personne. Je me reprends vite. On me verrait si je faisais cela. Sous nos tropiques, il n'existe pas d'endroit assez ombrageux pour protéger un secret. Nulle aire de repos pour l'âme des guerriers défaits. *Radio Trottoir*[3] s'empresserait de colporter la rumeur de mon retour jusqu'à Bépanda, jusqu'à la cabane en bois de ma mère. Elle soulèverait sa robe pour me maudire en m'offrant la vision de son arrière-train dénudé[4]. D'ailleurs, je ne pourrais pas être là, à quelques kilomètres de chez elle, sans aller la voir. Sans poser ma tête sur ses genoux, en cachette de tous, dans l'obscurité de sa cuisine en tôles. Sans respirer l'odeur de sa peau ointe d'une huile au parfum sauvage. Sans goûter, ne serait-ce qu'une fois, le repas finement relevé qu'elle aurait préparé pour moi. Rien que pour moi.

Je ne peux pas rentrer. Je n'y parviens pas. Je n'aime pas ce pays. Ni son climat, ni le rythme qu'il impose. Je ne suis pas allé voir les associations qui, dit-on, viennent en aide aux sans-papiers. Je suis seul. Ma résidence clandestine et ma souffrance sont encore trop récentes. Je n'ai pas d'enfant. Pas de feuilles de salaire. On ne pourrait pas m'aider. Mon pays me manque. La terre. Les couleurs. Les parfums. Les saisons qui viennent avec

---

1. *Évanescent* : qui dure peu, qui s'efface.
2. *Incognito* : sans se faire connaître.
3. Le téléphone arabe. (NdA)
4. Dans certaines régions du Cameroun, lorsque des parents dévoilent leur nudité à leurs enfants, cela signifie qu'ils les maudissent. (NdA)

leur cortège de fruits. Mangues sauvages. Corossols[1]. Papayes. Les jeux des enfants dans la rue. Le bruissement du Wouri[2] aux heures vespérales[3]. La lassitude d'un vieux pêcheur qui rentre maintenant. L'odeur des beignets que font cuire des femmes aux formes callipyges[4], lorsque descend le soir. Le sourire vaille que vaille de ceux dont la joie est l'ultime sursaut d'orgueil, la dernière élégance. Tout cela me manque.

Le Cameroun non plus n'est pas un paradis. Sur ma terre que la solidarité a quittée pour faire place à la férocité moderne, on ne vit que sous l'œil des autres. Si cet œil vous refuse ses regards, vous n'êtes rien. Où qu'on vive, il faut de l'argent, pour être bien considéré. Ici ou là-bas, il n'y a pas de liberté. Alors, je ne vais pas rentrer. Même si ici, tout est sombre depuis la première heure du premier jour. Je ne vais pas rentrer. Laisser la honte s'abattre sur moi. Les railleries et le mépris des autres m'engloutir. Autant mourir ici, comme une bactérie neutralisée, et que personne, jamais, n'en sache rien.

---

1. ***Corossols*** : fruits à l'enveloppe garnie de pointes et à la chair rafraîchissante.

2. Fleuve qui traverse la ville de Douala pour se jeter dans l'océan. (NdA)

3. ***Vespérales*** : du soir.

4. ***Callipyges*** : qui ont de belles fesses.

Fabrique de nos âmes insurgées[1]

Il fait noir. C'est la saison des jours brefs. On a beau s'y attendre, lorsqu'elle arrive, c'est toujours pour drainer cette impression que le soleil aussi abandonne la partie. Il se retire sitôt qu'il le peut, laissant le quidam[2] face à une existence qui ne cherche plus que le bout de la piste. L'endroit où on dit pouce. Le lieu d'arrivée où on n'en a plus rien à faire de rien. Là où le chemin est enfin derrière soi, avec ces clous, ces fissures qui datent du vagissement[3]. Ce n'est pourtant pas la zone. Rien qu'un quartier populaire de cette ville de France qui, en son temps, dictait au système solaire tout entier les codes de l'élégance et du sens artistique. Ce n'est pas la zone, et la police y veille. *Intra-muros*[4], comme ils disent maintenant pour désigner les parties nobles de la cité capitale qui n'a cessé d'enfanter alentour des villes sans gloire puisque sans passé, mais pas sans histoires pour autant, dans le ventre de la métropole donc, on la voit, la police. En

1. ***Insurgées*** : qui se rebellent.
2. ***Le quidam*** : l'homme, l'individu (mot latin).
3. ***Vagissement*** : cri du nouveau-né.
4. ***Intra-muros*** : expression latine signifiant à l'intérieur des murs et, par extension, à l'intérieur de la ville.

effectifs conséquents. Elle effectue avec zèle ses passages itératifs[1], au cas où. La police a pour mission de précéder l'idée. Parce que c'est sûr que l'idée est en marche. Elle hésite encore, mais on l'aperçoit déjà. L'idée que les lendemains se sont enfuis se tient sous le porche de la Poste, en face du bar-tabac du coin de la rue. Elle tourne en rond. Elle parle fort, mais pas trop. Elle ne dit encore rien de bien méchant. Elle se raconte, de sa voix qui commence seulement à muer, des histoires de petite truanderie, de petits trafics qui ont bien intégré l'idée que ce n'était pas la peine de chercher un emploi conventionnel, dans un monde où le spectre du chômage rôde au sein des entreprises, pour qu'on courbe l'échine toujours plus bas. L'idée est de sexe masculin. Dans ces parages particuliers, vestiges d'une fraternité dont la course du temps a balayé les ruines, l'idée a toutes les carnations[2]. Sa couleur est seulement celle de son lieu de résidence : nom de rue, code postal, aussi déterminants que discriminants[3]. L'idée devrait être à l'école, au lieu d'égrainer les minutes, de midi à minuit, de minuit à l'heure où le soleil s'oblige à amorcer une pâle apparition. Ça en fait un paquet, de minutes. L'idée qui se retient encore de rugir, de tout casser puisque rien n'a de sens et que seule la fin est une destination sûre, se les coltine[4] stoïquement[5]. Toutes ces minutes. De midi à minuit. De minuit aux heures qui précèdent le point du jour.

À côté du bar-tabac, il y a un petit bistrot. On y sert du couscous tous les jours de l'année, et si les murs ne sont pas bien blancs, ils restent d'une grande utilité. Le Système y colle ses affiches, pour ne pas les voir bientôt maculés de tags. Aujourd'hui, il y en a une immense, dont les couleurs sont en parfaite harmonie avec celles de l'idée. C'est noir, c'est gris, ça luit étrangement,

---

1. ***Itératifs*** : répétés.
2. ***Carnations*** : colorations de la peau.
3. ***Discriminants*** : qui créent une discrimination.
4. ***Se les coltine*** : les porte comme un fardeau (familier).
5. ***Stoïquement*** : courageusement.

45 comme de l'huile échappée d'un moteur. L'image est criante de vérité. Elle est cynique, elle fait envie. Elle conforte l'idée dans sa conception du réel. La photo annonce le concert d'un chanteur à la mode. Basané. Tatoué. Très jeune. Venu d'ailleurs. Comme quoi, la souche ou la nationalité peuvent se révéler des para-
50 mètres mineurs, si on sait choisir sa carrière. Le jeune chanteur a intitulé sa tournée : *Million Dollar Boy Tour*[1]. L'annonce de son récital, dans une salle de spectacles mythique, participe de la fin de la grande hallucination qui voulait qu'on se lève tous les matins pour aller se décarcasser à réaliser les rêves d'un col
55 blanc[2] sorti des grandes écoles. Son œil de braise sur l'affiche de papier glacé trace une autre voie : celle du droit à la *maille*[3] et aux filles, avant le bout de la piste. Lui, il sait chanter. Peut-être pas tout à fait, mais il sait faire sonner l'air du temps. Il sait faire du neuf avec de l'ancien, recycler les rythmes d'antan pour que
60 le présent se croie un tantinet créatif, ait envie d'aller se *casser le corps*[4] le samedi soir. Le jeune chanteur fédère étrangement les valeurs, les plus périphériques et les plus centrales. Les uns l'aiment parce qu'il leur ressemble, et qu'il a l'air de s'enrichir sans effort. Pour les autres, il représente cet encanaillement qu'on
65 n'ose que par intermittence, et encore : sous anxiolytiques[5]. On l'entend dans les boîtes de nuit où faire la fête rime avec s'exploser la tête, parce que cette vie est tellement vide, tellement finie depuis le vagissement. Les basses assourdissantes de ses chansons font vibrer les murs de ces lieux où il faut payer pour
70 la transe, et où ceux qui ont la même tête que lui ne sont pas invités à pénétrer.

1. Intitulé d'une tournée du chanteur Kamaro, canadien d'origine libanaise. (NdA)

2. ***Un col blanc*** : un employé de bureau (familier et vieilli; par opposition à «col bleu», ouvrier).

3. ***Maille*** : argent. (NdA)

4. Traduction de Kasé Ko', nom d'une danse de Guyane française. (NdA)

5. ***Anxiolytiques*** : tranquillisants.

Adrien se met doucement dans l'idée. Il y vient sans s'en apercevoir. Comme tous les soirs depuis une semaine, il se mêle à la bande. Avant, il la contemplait de loin. De la fenêtre de la cuisine, 75 qui donne sur la rue. Il se penchait un peu vers l'extérieur, et sa mère le tirait par le bras en disant : «Si je te prends à fréquenter un seul de ces petits voyous, je te battrai si fort que ta peau me restera collée sur les mains.» Il s'éloignait de la fenêtre pour lui faire plaisir. Par respect aussi, pour sa manière désespérée 80 de s'accrocher à des principes depuis longtemps disqualifiés, et dont elle voyait bien qu'elle ne les remettrait pas au goût du jour. Elle résistait. Depuis des années, elle combattait l'humiliation de n'avoir dû naître que pour mener une vie de larve. De n'avoir fait des études longues que pour trouver des contrats à durée 85 déterminée, des emplois aidés, et puis plus rien. Rien que des stages où on voulait lui raboter la personnalité, où on lui faisait comprendre qu'une mère célibataire ne pouvait pas se permettre de choisir son métier. Ils appelaient ça : Objectif professionnel personnalisé. OPP. Un savant matraquage verbal, pendant trois 90 mois, et trente-cinq heures par semaine, pour le coup. Aux frais de la princesse[1]. Avec des horaires honnêtes, afin de s'assurer la présence des chômeurs. La flexibilité serait pour plus tard. À la fin de l'OPP, son profil professionnel de diplômée en lettres était tracé : elle n'avait pas la nationalité du pays, et sa situation 95 matérielle ne lui permettrait pas de l'obtenir. Sans ce privilège, les concours de la fonction publique lui étaient interdits. Elle ne serait jamais professeur de littérature. Tout ce qu'elle pouvait faire pour sortir de l'indigence[2] et conserver sa carte de résident, c'était accepter un emploi de standardiste. Elle avait dit : «Mais je n'ai 100 jamais refusé de travailler. J'ai occupé des postes de ce type à plusieurs reprises.» «Certes, lui avait-on répondu dans un sifflement,

---

1. ***Aux frais de la princesse*** : aux frais d'un organisme d'État ou d'une collectivité, sans avoir à payer.
2. ***Indigence*** : pauvreté.

mais vous vous êtes cantonnée au secteur culturel, qui n'embauche plus faute de crédits, et vous n'êtes pas assez flexible.» Elle avait tenté de se faire comprendre : «J'ai un fils, et les salaires qu'on me propose ne me permettent pas de le faire garder. Je dois avoir fini pour dix-sept heures trente au plus tard, sinon je serai en retard à la sortie de l'école, et...» On avait été sec, pour qu'elle voie la réalité en face : «Vous n'êtes pas la seule dans ce cas. Faites comme les autres!»

C'était cela, la solution. Serrer les dents. Encore un peu plus. Demander au petit de rentrer seul, de réchauffer, comme elle le lui avait montré, le repas qu'elle avait préparé la veille à son intention. Exiger qu'il fasse le moins de bruit possible, pour que nul ne se rende compte qu'il restait seul jusqu'à dix heures du soir. Accepter cet emploi à trois quart temps, du mardi au samedi, de cinq heures à neuf heures et demie du soir, cavaler comme une folle dans les couloirs de correspondance pour être certaine d'arriver à dix heures à la station de métro T. Le long de la rue qui monte jusqu'au bureau de Poste où l'enfant se met de plus en plus dans l'idée, elle sèche ces larmes qui ne lui glissent pas sur les joues à cause du vent. Elle sait où trouver son fils, depuis une semaine. Il lui a fallu peu de temps pour cesser de supporter la solitude là-haut. Quand sa mère était là, il n'entendait pas les cafards ramper sous l'évier. Il ne sentait pas cette odeur d'égout qui empuantit la minuscule salle de bains, dès que le voisin du dessus tire sa chasse d'eau. L'odeur passe par les canalisations communes du vieil immeuble, et ressort par le lavabo. On peut toujours essayer de boucher, de verser de la Javel, des produits antibactériens très onéreux. Rien n'y fait. Adrien ne sait tout cela que depuis qu'il est seul le soir. Avant, il savait qu'ils n'étaient pas des possédants, mais il ignorait que leurs vies puaient si violemment. Quand sa mère était là, elle lui faisait faire ses devoirs. Il lui promettait, parce qu'il y croyait, d'aller à l'université quand il serait grand. Elle n'est plus là. Elle doit gagner leurs vies, en payer le prix. Le revenu minimum que versait l'assistance n'a jamais suffi, même pour habiter une résidence à loyer modéré. Elle ne touche que deux cents euros de plus avec son nouvel emploi. Pourtant, elle pense dorénavant que l'OPP avait raison. Elle ne peut pas vivre de l'assistance. Ce n'est pas digne. Il vaut mieux laisser seul un petit de neuf ans, parce qu'on ne peut pas le confier à la voisine témoin de Jéhovah qui organise des groupes de prière chez elle, ni à celle dont le compagnon est un type louche qui ne se lave pas et qui ne quitte son appartement qu'une fois l'an. La mère d'Adrien a bien une sœur. Mais elles ont les mêmes obligations qui tiennent en deux mots : horaires flexibles. Les soirs où la tante du petit finit plus tôt, elle est fatiguée. Elle n'a pas envie de traverser la ville pour tenir compagnie à l'enfant quelques heures. Ce n'est pas elle qui l'a mis au monde. Chacun porte sa croix. D'ailleurs, depuis qu'elle observe la vie de sa sœur, cette vie de femme seule avec un enfant, d'ancienne SDF qui ne s'est toujours pas vraiment réinsérée parce que la rue vous laisse un brin de sauvagerie incurable[1] qui vous isole de la norme, la tante ne veut pas d'enfants. C'est trop lourd. On n'a plus rien à soi. Plus de vie sociale. Plus une miette de temps un peu tranquille. On ne fait que penser à ce qui arriverait si on n'était pas là. La mère d'Adrien n'est pas physiquement morte, mais elle est disparue, dans un certain sens. On lui a pris ce qu'elle était au tréfonds, l'amour de la rime, la capacité à dénicher les tropes[2] les plus subtils d'un texte. Elle n'est plus qu'une voix qui répond au téléphone : « Institut M., bonsoir ! Viviane à votre service. » Jusqu'à neuf heures et demie du soir. Et il faut sourire. Le sourire s'entend au téléphone.

Le premier jour, elle a eu droit à un long discours qu'elle connaissait déjà par cœur. L'importance de l'accueil téléphonique. Ce n'est pas de son qu'il s'agit, mais bien de ce qui régit le monde, depuis plus longtemps qu'on ne veut bien le recon-

---

1. ***Incurable*** : qu'on ne peut guérir.
2. ***Tropes*** : figures de style.

naître : l'image. «Vous êtes la première image de notre établissement. Nous vendons de la détente, du plaisir, une promesse de bonheur. Ce sont ces valeurs que votre voix véhicule. Vous êtes le
170 maillon initial de notre relation client. Vous souriez, ils viennent. Vous faites la tête, ils vont se faire masser et boire leurs cocktails ailleurs. Nous perdons de l'argent. Nous licencions. Forcément.» Elle savait déjà ces choses. Ce n'était pas la première fois qu'on lui vantait la méthode imparable pour faire du *prospect*[1] un client.
175 La technique de l'AIDA : retenir l'Attention, susciter l'Intérêt, faire germer le Désir, obtenir l'Assentiment[2]. La reddition[3] du nigaud s'orchestre dans un opéra composé par un maître dont on a depuis oublié le nom. C'est le rouage principal de la machine : le consentement de la victime.

180 Lorsque l'heure de la sortie approche, alors qu'il est encore à l'école, Adrien imagine sa mère. Il pense qu'elle achève de se coiffer, qu'elle descend à pied les six étages de leur immeuble. L'ascenseur est trop sale, pas assez sûr. Il ne faudrait pas qu'elle reste bloquée à l'intérieur, juste au moment d'aller se faire flexibi-
185 liser le restant des jours. Alors, elle descend à pied. Au cinquième étage, elle rencontre les poubelles qu'une vieille dame laisse systématiquement sur le palier, histoire que chacun sache ce qu'elle pense de lui. Au troisième, il y a deux filles qui seraient bien dans l'idée elles aussi, si on les laissait faire. Elles fument des joints[4]
190 en riant à voix basse. Elles ont l'œil rouge. Légèrement vitreux. Elles n'habitent pas là. C'est juste un lieu discret qu'elles se sont trouvé pour planer, pour ne pas avoir à attendre le samedi soir avant de pouvoir décoller. Les semaines sont aussi longues que des siècles. Les semaines pèsent extrêmement lourd, du poids des
195 rêves que feraient tous les habitants de la rue du T. s'ils n'avaient pas conscience de la désertion des lendemains. Ils savent en fait

1. *Prospect* : voir note 4, p. 55.
2. *Assentiment* : accord.
3. *Reddition* : action de se rendre, de s'avouer vaincu.
4. *Joints* : cigarettes de cannabis.

peu de chose. Ils ne sont pas dans la combine qui fait tourner le monde. Cependant, ils éprouvent puissamment l'intuition que leurs magouilles à eux sont encore trop petites. C'est même une certitude. Leur banditisme à eux se salit encore trop les mains. En cette matière non plus, ils ne tiennent pas le sceptre[1]. Tout ce qu'ils peuvent raisonnablement espérer, c'est un *Million Dollar Boy Tour*. Un seul. Et le Système se sucrera[2] encore au passage. Babylone[3] a plus d'un tour dans son sac.

Adrien apprend toutes ces choses en écoutant les voix qui muent, qui ne font que répéter des paroles çà et là entendues. Il les apprend, et les admet de même. C'est ainsi qu'il intègre peu à peu un *nous* autre que l'appartenance naturelle qui était son royaume jusque-là, celle qui l'attachait à sa mère. Avant, *nous*, c'était elle et lui. La tierce personne ne fut pas assez longtemps à la hauteur pour se hisser là où ce *nous* lui imposait de grimper. C'est de cette façon qu'il s'explique cette chose horrible que sa mère lui a dite, un jour qu'il s'était aventuré à la questionner : «Ton père et moi nous sommes beaucoup aimés, et tu es né de cet amour. Un jour, nous ne nous sommes plus aimés.» Il ne lui avait pas demandé en quoi la mort de cet amour le concernait. En quoi il était explicable qu'elle le prive de père. Tout ce qu'il avait retenu, c'était que l'amour avait un début et une fin. L'amour aussi. En cessant d'aimer sa mère, la tierce personne n'avait plus aimé son fils. Elle ne lui avait laissé que son nom, comme un écho qu'on entend vaguement, sans savoir ce qu'il dit. Quant à la mère d'Adrien, si elle avait pu cesser d'aimer une fois, elle pouvait récidiver. Ne plus l'aimer, lui, un jour imprévu. C'est ce qu'il avait compris, et ce *nous* originel avait dévoilé ses failles. Il les confirme désormais. Déjà, l'OPP a eu raison de lui. Lorsqu'elle

---

1. ***Sceptre*** : bâton qui symbolise le pouvoir ; le mot est ici employé au sens figuré : ils ne sont pas les rois en ce domaine.

2. ***Se sucrera*** : prendra une grande part du gain (familier).

3. Dans la culture rasta, Babylone symbolise le Mal. L'argent, les perversions. Cette philosophie se fonde en partie sur l'Ancien Testament. (NdA)

arrive la nuit au bout de la rue du T., la mère d'Adrien s'approche de la troupe dont elle lui a interdit la fréquentation. Elle ne le bat pas si fort que sa peau lui reste collée sur les mains. Son regard vaincu qui a séché ses larmes pour conserver sa dignité se pose seulement sur l'enfant. Le regard est sec, mais le petit devine des pleurs silencieux alors qu'une voix un peu voilée lui dit : «Viens, Adrien. Nous rentrons à la maison.» Il a fait ses devoirs à l'étude. À la sortie des classes, il a rejoint la bande. Il n'est pas monté pour dîner. Il n'aime pas manger tout seul. Il glisse sa petite main dans celle de sa mère. En s'approchant d'elle, il entend qu'elle est encore essoufflée. Elle a tellement couru... S'il y avait eu une panne comme il y en a parfois, si les agents de la régie des transports s'étaient mis en grève, elle serait tombée en syncope[1]. Il le sent, et cela lui déchire le cœur.

Il est dix heures du soir, et en principe, Adrien dort à cette heure. C'est pourquoi le spectacle qui les accueille, lorsqu'ils regagnent ensemble leur petit deux-pièces, lui était jusque-là demeuré inconnu. Ces cancrelats qui font la fête dans l'obscurité de la cuisine, qui se dandinent partout, qui sont si intrépides que le froid du réfrigérateur ne les effraie pas. Aussitôt qu'on allume le plafonnier, ils retournent dans leur cachette, quelque part sous les plinthes, quelque part sous l'évier, dans un creux invisible où ils pullulent en attendant qu'on veuille bien éteindre la lumière. Leur laisser le champ libre. Il y en a tant qu'Adrien se demande comment ça se fait qu'il n'en ait pas encore gobé un, que dans son sommeil, une de ces bestioles ne se soit pas encore glissée dans sa narine droite ou dans son oreille gauche. Avant de se coucher, il regardera s'il n'y en a pas une sous l'oreiller. Comment sa mère a-t-elle réussi à maquiller cette misère jusque-là ? Elle réchauffe le repas qu'elle avait préparé la veille à son intention, et le regarde manger. Elle n'a plus jamais faim, comme plus envie de rien.

1. ***Elle serait tombée en syncope*** : elle aurait perdu conscience.

Assise en face de lui, elle ôte les escarpins[1] de rigueur pour aller sourire au téléphone à trois quarts temps, du mardi au samedi, de cinq heures à neuf heures et demie du soir. Elle se masse doucement les pieds. Elle lui sourit, et dit : «Avec mon salaire, on va pouvoir s'abonner au câble. Tu auras moins peur, je crois. Tu sais que je n'aime pas te savoir en bas si tard…» Elle est opiniâtre à tenter de lui faire croire qu'elle a encore la foi, qu'ils auront droit à la lumière du jour, qu'ils ont une chance de s'en tirer en étant justes et bons. Lui, il sait qui s'en tire, et comment. Et puis, en bon petit soldat qu'elle est, sa mère ne semble pas comprendre que l'offre de la télévision, en remplacement de sa présence, est déjà un glissement. Une reculade. Elle baisse doucement les bras. Il ne pardonnera jamais qu'on l'ait forcé à la regarder mourir lentement. Il mange. Elle a préparé des spaghettis. Avec des petits lardons et de la crème fraîche. C'est le dîner préféré d'Adrien. Ce soir, il ne lui trouve pas la moindre saveur.

Il fait noir. L'enfant s'est brossé les dents et sa mère l'a embrassé sur le front. Elle lui a dit de dormir, à présent. Les yeux de l'enfant rechignent au[2] repos. Ils ne se ferment pas. Ils ont perdu confiance. Ils voient, en dépit de l'obscurité de la chambre, les cancrelats qui font la bringue[3] dans tout l'appartement. Il devine les larmes silencieuses de sa mère dans la pièce d'à côté. Ce n'est pas le vent qui la fait pleurer. C'est le manque d'air, l'inévitable suffocation que cause l'apnée permanente qu'est devenue sa vie. C'est la solitude aussi, l'absence qui est l'unique épaule où poser son chagrin de jeune femme interdite de sorties parce qu'elle refuse de laisser son enfant à n'importe qui. Elle croit qu'il ne se souvient pas, parce qu'il était trop petit, de leurs années d'errance. Elle croit qu'il ne se souvient pas que la tierce personne ayant cessé d'aimer et d'être aimée, ils ont écumé[4] tous les deux

---

1. ***Escarpins*** : chaussures fines qui laissent voir le cou de pied.
2. ***Rechignent au*** : renâclent au, répugnent au.
3. ***Bringue*** : fête (familier).
4. ***Ils ont écumé*** : ils ont connu.

les hôtels miteux de la métropole et des villes qui se sont greffées autour, comme des champignons vénéneux. Lui, tout petit dans ses bras. Elle, fuyant au petit jour sans payer la note, abandonnant
290 souvent quelques effets, pour voyager léger. Elle croit qu'il ne se souvient pas des foyers d'accueil d'urgence, des hululements, des rugissements, des sanglots frénétiques qui y fracturaient la nuit. Elle dit qu'il va bien. Qu'il est épanoui. Qu'il ne peut pas savoir que dans le premier logement qu'ils ont enfin habité, ils cou-
295 chaient par terre, à même une couette usée qui constituait alors la totalité de leurs biens meubles[1]. Elle parle parfois de ces choses avec sa sœur lorsqu'elles se voient, et qu'elles pensent que l'enfant, occupé à jouer dans sa chambre, ne les entend pas. La mère d'Adrien a raison. Sa mémoire des âges sombres est imprécise. Il
300 ne garde en tête aucune image de leur préhistoire. Cependant, il y a en lui une tension. Des impressions. Une prescience[2]. Il comprend, en attrapant au vol une parole qu'échangent les sœurs, que sa mère n'a pas eu le temps de se faire des amis. Qu'elle a appris la méfiance. Une forme de fonctionnement autarcique[3].
305 C'est pourquoi personne ne vient les voir, en dehors de la tante. Les gens dont elle a fait la connaissance, dans les entreprises où elle a travaillé à durée déterminée, ne sont jamais devenus proches. Il y avait toujours une partie d'elle qu'ils ne pouvaient toucher, parce qu'ils étaient tellement lisses, tellement normaux. Et
310 les autres, les rugueux, ceux qui savaient cette part d'elle indicible et qui pouvaient l'appréhender, demeuraient distants. Son vocabulaire de diplômée en lettres les tenait en respect. Adrien perçoit ces choses à sa manière : que sa mère est une combattante, mais qu'il n'y aura pour elle aucune victoire. Pas à trois quarts temps,
315 du mardi au samedi, de cinq heures à neuf heures et demie du

1. ***Meubles*** : qui peuvent être déplacés, emportés.
2. ***Prescience*** : intuition; faculté de sentir ce qui va se passer.
3. ***Autarcique*** : qui se suffit à lui-même, qui n'entretient pas d'échange avec autrui.

soir. Pas en ayant passé tant de tribulations[1] pour sauver la peau d'un fils qu'elle doit maintenant laisser seul le soir. Il pense à ce qu'il a entendu sous le porche de la Poste. Que demain est un mirage. Que la monnaie est souveraine. Elle seule. Adrien a neuf
320 ans. Il se met de plus en plus dans l'idée de ne pas se faire avoir. Adrien n'a que neuf ans. Pour le moment.

---

1. ***Tribulations*** : suite d'épreuves, de situations à surmonter.

Filles du bord de ligne

Elles se déplaçaient en grappes le long de la rue piétonne. Fleurs de rocailles jaillies du béton des tours environnantes aussi bien que du pavé des ruelles. Elles n'avaient vu la plage qu'en bord de Seine. L'été, la municipalité en fabriquait une, de plage,
5 pour ceux qui ne verraient jamais la mer. Elles y étaient allées une fois. Ce n'était pas comme à la télévision. Dans le feuilleton *Sous le soleil*. L'eau n'était pas d'un bleu azur. Les transats installés çà et là ne faisaient pas oublier l'asphalte[1]. Les glaces étaient trop chères. Les activités aussi. Alors, elles restaient là.
10 Non loin des tours. Au fond d'une impasse où les voitures ne venaient pas. C'était leur territoire. Leur fief[2]. Même les jours comme aujourd'hui, où ce ne serait pas l'été avant longtemps. Un vent glacé leur soufflait dessus. C'était samedi. Elles avaient envie de s'amuser. De faire quelque chose pour éloigner l'ennui, pour
15 ne pas penser à ce qui les accrochait ainsi au bitume.

La rue ne leur était pas ce qu'elle est pour tant d'autres. La ligne de jonction entre deux points. Pour elles, c'était l'espace. Celui qui manquait dans les logements où trop de frères et sœurs s'agglutinaient, où on se marchait les uns sur les autres, où on
20 devait attendre son tour pour faire ses devoirs sur la table d'une

---

1. ***Asphalte*** : bitume.
2. ***Fief*** : domaine; territoire dont elles pensent qu'il est le leur.

pièce dont on ne savait si elle était chambre, cuisine ou salle de séjour. Elles faisaient rarement leurs devoirs. Cela ne leur disait rien. Et puis, il y avait trop de monde autour. Trop de voix. Trop de visages portant la marque de cent déconfitures[1], de mille frustrations. Ce qu'elles voulaient, c'était rire un peu. Dépenser l'énergie que la pièce exiguë comprimait. Échapper à la rengaine sur les traditions, à l'obligation faite aux filles de bien se comporter, parce que leur conduite attestait de la moralité des familles. Les parents n'avaient plus que cela : l'idée qu'ils se faisaient de la morale. Ils s'y cramponnaient parce que tout le reste les avait fui.

Quand elles avaient le cœur léger, elles se passaient le lecteur mp3[2] que possédait l'une d'elles. Elles dansaient dans la rue. L'une après l'autre, au son de tubes r'n'b[3]. À travers les cabrements, les torsions et les sauts qui étaient les pas ordinaires de leurs danses, elles s'exprimaient. Elles disaient ce que les mots ne savaient décrire. Tout ce qu'elles étaient sans pouvoir le définir. Elles écorchaient les paroles des chansons. Elles n'avaient pu les rechercher sur l'Internet, dont elles ne disposaient pas. Ce n'était pas grave. Elles étaient entre elles. Elles se faisaient leur cinéma, se prenaient pour Beyoncé Knowles, Mary J. Blige[4]. Des filles qui leur apparaissaient sans autre tradition que celle du mouvement. Sans autre morale que le *bling bling*[5]. Elles pouvaient imaginer être ces filles-là. C'était possible. Elles leur ressemblaient, n'étaient pas nées avec une cuiller d'argent dans la bouche[6], n'étaient

---

1. ***Déconfitures*** : échecs complets.
2. ***Lecteur mp3*** : petit appareil servant à écouter de la musique stockée sous forme de fichiers informatiques compressés.
3. ***R'n'b*** : style musical né dans les années 1990, mélange de rythmes hip-hop, de funk et de soul music.
4. ***Beyoncé Knowles*** et ***Mary J. Blige*** sont deux chanteuses célèbres de r'n'b.
5. Le terme ***bling bling*** désigne, à l'origine, les bijoux voyants des rappeurs. Par extension, il fait maintenant référence à un style de vie clinquant. (NdA)
6. « Être né avec une cuiller d'argent dans la bouche » signifie être né dans un milieu très aisé et favorisé.

diplômées d'aucune grande école. Le monde entier les adulait pourtant.

Leurs danses avaient quelque chose d'extrême. La gestuelle débridée de cœurs en quête d'amour, sans savoir ni où, ni comment le trouver. Certains passants n'appréciaient pas le spectacle, disaient les trouver vulgaires. Elles ne savaient pas vraiment ce que signifiait ce mot, mais le ton sur lequel on le leur lançait leur déplaisait. Alors, elles éteignaient la musique. Elles écartaient un peu les jambes pour prendre appui sur le bitume, et elles répondaient. Elles criaient comme on crache. Insultaient les passants, même quand il s'agissait de vieilles dames pouvant être leurs grand-mères. Elles menaçaient de passer voir chez eux les importuns. Elles mettraient tout à sac. Ne laisseraient que des lambeaux. Un rien les blessait. La moindre parole jugée méprisante. Le moindre regard désapprobateur[1]. Bien des gens ne passaient plus par là. Les voyant dans la rue, on faisait un détour. On leur laissait l'espace. Elles dansaient de plus belle. Parfois, elles regrettaient de n'avoir qu'un mp3 à faire tourner d'une paire d'oreilles à l'autre. Elles auraient voulu quelque chose de plus grand. Un appareil dont le son aurait pu emplir l'air de la rue. Elles danseraient toutes en même temps. Mais le *ghetto blaster*[2] était passé de mode.

Quand elles n'avaient pas le cœur à danser et qu'il leur fallait tout de même dépenser cette énergie qu'elles ne maîtrisaient pas, il leur arrivait de quitter leur territoire. Elles grimpaient dans un bus sans payer, s'asseyaient au coin d'une autre rue. Tapies derrière une vieille voiture maculée de tags et de fiente de pigeons, elles guettaient. D'autres filles. Celles qui avaient tout ce dont elles étaient privées. Un grand appartement, une famille non élargie, des vacances à la mer, des séjours à l'étranger. Des filles aux cheveux longs, naturellement lisses. Se jetant sur elles,

---

1. *Désapprobateur* : qui traduit un jugement défavorable.

2. Gros lecteur de cassette, en vogue dans les années 1980. (NdA)

elles leur assenaient des coups, leur taillaient le visage à l'aide de morceaux de sucre[1] qu'elles gardaient par-devers elles. Ils étaient aussi redoutables qu'une lame. Elles emportaient des trophées : un blouson, une paire de baskets dernier cri, le souvenir, surtout, de l'effroi dans les yeux bleus.

Elles ne conservaient pas longtemps leur butin, le revendant à des fripiers, pour avoir un peu d'argent. Elles déplaçaient leur champ de bataille. Prenaient parfois le métro pour aller sévir plus loin, ne pas se faire repérer. Sur le chemin du retour, elles riaient fort. Se racontaient leurs hauts faits, comment elles avaient *latté*[2] *cette fille, un truc de ouf*[3], ce qu'elle avait *pris dans la gueule*. Elles parlaient du jour où elles s'arracheraient de ces rues misérables. Elles iraient à New York. Elles vivraient comme dans les séries télé, des vies de consommatrices effrénées, des vies de femmes de basketteurs, de groupies ayant mis la corde au cou à un rappeur connu. Elles seraient riches. Elles auraient de belles voitures. Elles passeraient des heures en soins relaxants, auraient une manucure privée. Elles ne voulaient pas changer le monde, juste en mordre un bout. Pour que ce ne soit pas toujours les autres qui profitent de la vie.

Quand elles rentraient chez elles à la nuit tombée, dans ces appartements qu'elles avaient en horreur, où elles ne s'invitaient pas les unes les autres, elles croisaient des garçons. Ceux qui tenaient la rue jusqu'au petit matin. Ils ne leur faisaient pas peur. Ils portaient de faux diamants à l'oreille, un fin collier de barbe minutieusement rasé le long du menton. Ils étaient les copies presque conformes des vedettes du hip-hop qu'elles comptaient ferrer[4], quand elles seraient grandes et qu'elles partiraient. Elles

1. Les blessures infligées avec un morceau de sucre cicatrisent mal.
2. ***Latté*** : frappé (familier).
3. ***De ouf*** : de fou (en verlan, qui est le fait d'inverser les syllabes d'un mot, ou, comme ici, les sonorités d'une syllabe).
4. ***Ferrer*** : au sens propre, « attraper un poisson qui vient de mordre l'hameçon en tirant d'un coup sec » ; employé ici au sens figuré, « séduire ».

se faisaient la main sur eux, testant leur charme, leur bagout[1], tutoyant leurs limites. Parfois, l'aventure tournait court. Celui qu'elles avaient élu pour une rapide séance d'entraînement dominait le jeu. Il prenait le contrôle, faisait ce qu'il voulait. Elles ne se plaignaient pas. N'en parlaient à personne. S'endurcissaient seulement, frappaient plus fort les filles qui ne leur ressemblaient pas. Celles qui avaient les cheveux lisses, qui pouvaient se les mouiller tous les jours.

Certaines n'approchaient pas les garçons. Elles cachaient un secret dérangeant sous leur jean slim[2] à bon marché. Elles ne se souvenaient pas du jour où la blessure leur avait été infligée. Elles étaient petites. Il y avait eu une anesthésie. Elles ne connaissaient que la cicatrice, chéloïde[3] barrant leur intimité. On leur avait dit que cela faisait d'elles des filles respectables. On leur avait ôté un organe mâle, un dard dont la croissance tuerait leur futur époux. On avait tranché une impureté, quelque chose qui leur donnerait un appétit sexuel inconvenant pour les femmes. Elles savaient que c'était faux. Autour d'elles, les femmes demeuraient entières et ne devenaient pas des succubes[4]. La mutilation aggravait leur difficulté à adhérer au monde qui les entourait. Elles n'étaient pas comme les autres. Les filles coupées avaient l'œil fuyant, furieux lorsqu'on les regardait trop longtemps.

Dans les appartements, les parents dardaient sur elles des regards suspicieux[5]. N'ayant pas de prise sur le monde extérieur, ils craignaient qu'il leur ravisse leurs filles. La famille n'aurait plus rien. Plus de dignité. Plus de morale. Ils n'aimaient pas les jeans moulants, les coiffures à la Beyoncé[6]. Un jour, alors que les

---

1. ***Bagout*** : grande facilité à parler.
2. ***Leur jean slim*** : leur jean étroit, près du corps (de l'anglais *slim*, « mince »).
3. ***Chéloïde*** : cicatrice formant un bourrelet de chair.
4. ***Succubes*** : démons féminins, diablesses, qui viennent s'unir aux hommes pendant leur sommeil selon la tradition chrétienne.
5. ***Suspicieux*** : pleins de méfiance, de soupçon.
6. ***Beyoncé*** : voir note 4, p. 48.

filles n'y avaient jamais eu droit, ils parlaient de vacances. L'été. Il faudrait prendre l'avion. Elles attendaient. Se calmaient un peu, faisaient la vaisselle, les devoirs. Pour plaire. Essayer d'être de bonnes filles. Au fond des lits où la fratrie dormait tête-bêche[1],
135 elles osaient un rêve. Elles cessaient d'habiter la césure[2] séparant le monde extérieur de celui des parents. Elles n'étaient plus coincées entre deux modes de vie. Le jour venait. Elles faisaient le voyage. Elles ne revenaient pas. Aux petites sœurs, les adultes expliquaient l'absence. Ils exposaient le destin des mauvaises
140 filles. Celles qui traînaient. Celles qui n'avaient pas de respect. Celles qui salissaient le nom de la famille, la faisant montrer du doigt. C'était tout ce qu'on disait d'elles.

---

1. *Tête-bêche* : l'un à côté de l'autre et en sens inverse; la tête de l'un se trouve au niveau des pieds de l'autre.
2. *Césure* : coupure.

Afropean Soul

Le jeune homme longea la rue du Groupe-Manoukian, jusqu'à l'avenue Gambetta. La station de métro Saint-Fargeau se trouvait de l'autre côté de l'avenue, mais il préféra marcher. Depuis peu, il se branchait sur les radios communautaires, qu'il avait ignorées 5 jusque-là. Avant, il en trouvait les programmes médiocres. Les speakers[1] avaient toujours un défaut d'élocution, une syntaxe problématique. Des ennuis techniques venaient sans arrêt perturber les retransmissions. La musique diffusée n'était qu'un brouhaha continu, dépourvu d'harmonie. Il ne se sentait pas particulière- 10 ment proche de ceux qui s'exprimaient, ne vivait pas comme un Africain exilé en France. Il était un *Afropéen*, un Européen d'ascendance africaine. Rien de tout cela n'avait changé. Cependant, le climat social du pays le heurtait, le poussant à s'interroger. On parlait d'identité nationale. Il était question de la circons- 15 crire[2] clairement, d'en faire un domaine administrable. Comme la Justice, la Santé, l'Éducation. Le jeune homme se demandait si l'identité des Afropéens était nationale. Il avait toujours cru les identités multiples. Même au sein d'une nation, elles ne pouvaient être figées.

---

1. ***Speakers*** : présentateurs (mot anglais).
2. ***Circonscrire*** : enfermer dans des limites.

L'identité était un processus, un mouvement constant, pas une stèle[1] à trimballer sur le dos. Il était déjà assez difficile d'être un humain. Autour de lui, chacun semblait s'être résolu à choisir son camp. Chacun semblait pouvoir définir les contours de son identité, son contenu. Il n'avait jamais vu les choses ainsi, considérant qu'il y avait autant de manières d'être un Afropéen, que de façons d'être un Européen de souche. Parce que les gens étaient des individus, pas les particules indifférenciées d'une masse. Ce n'était plus si sûr, apparemment. Alors, il écoutait ces stations de radio. Elles diffusaient des nouvelles de la marge, ce non-lieu où le regard des autres l'enfermait maintenant, lui faisant comprendre que la couleur de sa peau n'était pas d'ici. Il était devenu soudain *une bande ethnique à lui tout seul*[2]. Constamment sommé de décliner son origine, de prouver son droit au sol. Il se pouvait donc, d'après ce qu'il entendait dire, que l'identité se fonde sur l'origine, et qu'il se soit trompé pendant tout ce temps. Des années durant, il s'était imaginé être une conscience, plutôt qu'un corps. Il s'était vécu de l'intérieur. Il avait accepté qu'on lui dise que ses ancêtres étaient gaulois. Ce n'était vrai que pour très peu de gens, dans ce pays. Il s'agissait seulement d'une formule symbolique, et les symboles ne le gênaient en rien.

Après cinq années d'études universitaires, il menait une existence rugueuse, se serrant la ceinture pour payer ses factures. Il vivotait, faisait ce qu'il pouvait. Chaque jour, il se rendait dans un centre d'appels auquel de grandes entreprises confiaient diverses missions. Il téléphonait à des inconnus qui n'avaient rien demandé, leur proposait des services dont ils n'avaient nul besoin. Un superviseur écoutait ses appels, veillant au respect

---

1. *Stèle* : pierre portant une inscription gravée, le plus souvent funéraire ; le mot est ici employé au sens figuré : poids d'une identité qui serait figée, à porter comme un fardeau.

2. Allusion à un morceau du groupe de rap La Rumeur, intitulé : « Je suis une bande ethnique à moi tout seul » (album : *Du cœur à l'outrage*). (NdA)

scrupuleux de la *bible*[1], hurlant pour que les objectifs soient atteints. Les premières semaines avaient été difficiles. Le jeune
50 homme avait souffert de devoir, en quelque sorte, contraindre de pauvres gens à acheter des choses qui ne leur serviraient à rien. Le soir, en prenant le métro à la Porte de Versailles pour regagner la rue du Groupe-Manoukian où il habitait, il avait une boule dans l'estomac. Son sommeil était peuplé des cris de super-
55 viseurs invectivant[2] les téléopérateurs, leur rappelant les objectifs de marge, le nombre d'*accords*[3] à l'heure, le moment où ils auraient droit à dix minutes de pause. Il rêvait qu'un long cordon téléphonique s'enroulait autour de sa gorge, l'étouffant sans qu'il puisse réagir.

60 Dans ces cauchemars des premiers temps, les noms des *prospects*[4] défilaient à toute vitesse devant ses yeux, sans s'arrêter. Il n'y avait plus de *temporisation*[5]. La machine qui envoyait les appels s'emballait. Elle lui commandait brusquement d'effectuer dix *contacts*[6] à la minute. Le jeune homme se réveillait épuisé, se
65 ruait dans le métro, le regard embrumé. Il n'avait pas récupéré de la journée précédente qu'il lui fallait déjà visser son casque sur sa tête, taper son identifiant, et s'adresser à un prospect. En fin de compte, il s'y était habitué. Il avait tenté de se mettre au diapason des[7] meilleurs vendeurs, après une conversation avec Farid, un
70 garçon qui semblait transformer tous ses contacts en accords. Farid lui avait dit : «Au début, on nous appelait *téléacteurs*. J'ai

---

1. Dans les centres d'appels, une *bible* est un document qui indique en détail la teneur de la conversation. On ne doit dire que ce qui y est écrit, et même les objections du correspondant sont prévues. Pour chacune d'entre elles, la bible contient une réponse. (NdA)

2. ***Invectivant*** : injuriant.

3. Ventes effectives. (NdA)

4. Un ***prospect*** est une personne à qui une offre commerciale est faite. S'il l'accepte, il devient un client. (NdA)

5. Léger temps de battement entre deux appels. (NdA)

6. Appels donnant lieu à une conversation avec le prospect. (NdA)

7. ***Se mettre au diapason des*** : se conformer aux.

très bien intégré la part de comédie, inhérente à ce métier. Glisse-toi dans la peau d'un autre. Pense que tu joues un rôle. C'est ce que je fais depuis des années, et je cartonne.»

Le jeune homme, lui, n'avait jamais «cartonné». Il n'avait jamais fait partie des champions de la vente. Jamais la prime promise aux meilleurs éléments ne lui avait été versée, mais il pensait conserver son emploi. Il faisait tout ce qu'il pouvait, pour y parvenir. Depuis le début, et comme tous les autres, il acceptait de changer de nom. Tous les téléopérateurs de son équipe utilisaient le même : *Dominique Dumas.* C'était une identité unisexe. Parfois, il arrivait qu'un prospect lui dise : «C'est étrange, mais je suis sûr qu'hier, une Mme Dominique Dumas m'a appelé, pour me proposer ce magazine...» Il feignait de n'avoir rien entendu, continuait de lire la bible. Avec de l'énergie, il réussissait à abattre les barrières, à vendre un abonnement à son interlocuteur suspicieux. Dans de tels cas, il prenait aussitôt le numéro de carte bancaire. Ainsi, le prospect devenait client sans l'avoir décidé, ne pouvait pas changer d'avis. Lorsqu'il recevait son contrat et le premier numéro du journal, le délai de rétractation[1] était dépassé.

Le jeune homme touchait le salaire minimum, au prix d'une douloureuse distorsion de sa sensibilité, d'une mutilation intérieure. Ses perspectives d'avenir se limitaient également au minimum. Pour ceux de sa génération, c'était cela, entrer dans l'âge adulte. S'apercevoir qu'on ne vous avait pas prévu au programme, qu'on vous tolérait d'extrême justesse au nombre des humains, et à condition que vous filiez doux. Jusque-là, il n'avait pas associé ses difficultés à la couleur de sa peau. Le chômage et la précarité guettaient leurs proies à tous les coins de rue, sans distinction d'origine. Il habitait un quartier mixte, où les classes moyennes aussi bien que les pauvres avaient toutes les carna-

1. ***Délai de rétractation*** : délai légal pendant lequel on peut revenir sur un engagement commercial.

tions. Simplement, une tension régnait désormais, qui l'obligeait à ouvrir les yeux. Il avait remarqué que les téléopérateurs de son
105 entreprise étaient majoritairement issus de *minorités ethniques*. À mesure que son regard sur les choses s'affinait, il avait aussi réalisé que le nom de *Dominique Dumas* ne devait pas sa neutralité au seul fait qu'il convenait aux filles comme aux garçons. Il effaçait la couleur. Farid et Fatou, tous deux nés en France et parlant le fran-
110 çais sans accent, se fondaient d'un coup dans la fameuse identité nationale. En devenant *Dominique Dumas*, ils s'inscrivaient dans ce qui était communément considéré comme la norme.

Ils ne faisaient plus peur. Les personnes appelées ne se méfiaient pas d'eux – comme l'entreprise craignait que ce soit le
115 cas s'ils conservaient leur nom –, et les écoutaient lire la bible. Leurs contacts se transformaient en accords, par la magie de l'identité de substitution. Bien entendu, au-delà des superviseurs qui n'étaient que le tout premier palier de l'encadrement, le personnel de l'entreprise était singulièrement monochrome. Dès qu'on
120 quittait les espaces dits de production, la couleur disparaissait. Le jeune homme se demandait pourquoi cette répartition lui avait échappé, pourquoi elle ne l'avait pas choqué, s'il était normal de connaître ses origines en ne leur accordant qu'un impact relatif sur sa valeur d'être humain. Privilégiant une conception cérébrale
125 et émotionnelle de sa personne, il s'était peut-être égaré.

Il s'interrogeait sur la nation. Était-ce davantage un territoire qu'une histoire, les deux, ou tout simplement l'inverse ? Il avait ouvert un dictionnaire, et lu. « Nation : nom féminin, du latin *natio*. Grande communauté humaine, le plus souvent installée sur
130 un même territoire et qui possède une unité historique, linguistique, culturelle, économique, plus ou moins forte [1]. » Tout était dans le « plus ou moins ». Les régionalismes encore puissants de ce pays n'étaient pas ouvertement stigmatisés [2], présentés comme

---

1. Le Petit Larousse, édition 1992. (NdA)
2. ***Stigmatisés*** : pointés du doigt, dénoncés.

une menace pour l'unité de la nation. Pour se faire élire aux législatives, des hommes politiques de premier plan n'hésitaient pas à mettre en avant leur enracinement dans la région dont ils sollicitaient les suffrages. C'étaient les immigrés qu'on montrait du doigt. Eux, et tous ceux qu'on classait dans cette catégorie, même s'ils étaient nés en France. Ceux dont la peau avait une couleur. Ils n'appartenaient à l'unité de la nation que depuis un temps jugé trop court. Il leur faudrait voyager vers d'autres continents, s'ils commençaient à se passionner, comme tant d'autres, pour la généalogie.

On laissait entendre que, par leur faute, la langue de la nation se perdait. S'ils ne la savaient pas, s'ils la maîtrisaient mal, ce n'était pas parce qu'on avait pris soin de les entasser dans des endroits où ils n'avaient pas à s'en servir. Les travailleurs maliens et sénégalais, installés dans des foyers qu'ils n'avaient pas eux-mêmes construits, s'évertuaient à parler entre eux la langue de leur pays natal. Ils exerçaient des métiers ne nécessitant aucune conversation. Personne n'avait rien à leur dire, lorsqu'ils balayaient les couloirs du métro. C'était leur faute. Ils le faisaient exprès. Ils refusaient l'intégration. Ils élevaient leurs enfants en bambara[1] ou en wolof[2]. Cela devait cesser. Alors, on n'allait pas les loger dans des espaces mixtes, pour qu'ils se mêlent aux autres. On avait trouvé une solution plus adéquate. Dorénavant, on ne permettrait aux étrangers d'entrer en France que s'ils parlaient, lisaient et écrivaient le français. Plus que d'autres, certains devraient faire la preuve de leur intégration, avant même de fouler le sol français. On en finirait avec ce laxisme[3] qui avait permis l'édification d'enclaves menaçant la nation.

Tous ces discours alimentaient le malaise du jeune homme. Quelques jours auparavant, alors qu'il avalait son petit noir[4]

---

1. ***Bambara*** : langue parlée au Sénégal et au Mali.
2. ***Wolof*** : langue parlée au Sénégal et en Zambie.
3. ***Laxisme*** : tolérance excessive.
4. ***Son petit noir*** : son café (expression familière).

accoudé au zinc[1] d'un café de la rue du Surmelin, un poivrot[2] 165 s'était adressé à lui. L'homme avait dit : «Y en a qui doivent suer dans leurs boubous[3] ! On sera bientôt débarrassés de cette vermine.» Arezki, le garçon de café, lui avait dit de ne pas faire attention. D'après lui, l'ivrogne ne pensait pas ce qu'il disait. Arezki avait ajouté : «Il t'a regardé, mais ce n'est pas à toi qu'il 170 parlait : tu n'as pas de boubou...» C'était vrai. Le jeune homme ne portait pas de vêtements africains. Par ailleurs, le boubou n'était pas le costume du pays de ses parents. Pourtant, le visage de cet homme, ses paroles lui étaient restés en mémoire. Il s'était demandé comment un laissé-pour-compte[4], un individu encore 175 plus démuni que lui, pouvait croire qu'il suffisait à son salut que les immigrés soient chassés. Les usines ne rouvriraient pas leurs portes, simplement parce qu'il y aurait davantage de charters[5], pour reconduire chez eux les indésirables.

C'était la première fois que le racisme ordinaire le touchait. 180 Habituellement, il ne lui accordait pas grande importance, considérant la chose comme une sorte de défaillance de l'esprit. Le racisme, qu'il soit le fait de Blancs ou de Noirs, était irrationnel et sans fondement à ses yeux. On ne pouvait haïr les gens parce qu'ils étaient au monde, et qu'ils ne vous ressemblaient pas. Ils 185 vous ressemblaient toujours, au-delà de la surface, sous ce corps dont le jeune homme avait jusque-là négligé l'apparence, pour toucher l'humain au-dedans. Voilà que les habitants de ce pays ne voulaient plus se reconnaître les uns dans les autres. Ils n'avaient

1. ***Au zinc*** : au comptoir (traditionnellement en zinc dans les bars et les cafés) ; terme familier.
2. ***Poivrot*** : ivrogne (familier).
3. ***Boubous*** : longues tuniques flottantes portées en Afrique noire ; terme issu de la langue mandingue.
4. ***Laissé-pour-compte*** : personne dont on ne veut pas dans un système social, qu'on exclut.
5. ***Charters*** : avions dont le prix du billet est avantageux ; désigne ici les vols par lesquels on expulse les sans-papiers hors du territoire national.

plus que les mots « immigration » et « nation » à la bouche, pour 190 dire que l'une souillait l'autre. Pour lui, l'immigration faisait partie de l'identité nationale. Elle y était une habitude, une coutume, une tradition. C'était elle également, qui avait fait ce peuple. Le jeune homme ne parvenait pas à penser autrement. Son identité, même si elle n'était que la sienne, particulière et enracinée dans 195 un itinéraire personnel, ne pouvait être que nationale. Ce pays était le sien. Il était sa seule terre.

En écoutant la radio communautaire, il avait entendu parler de l'enfant. Un gamin de sept ans, mort d'une balle tirée accidentellement par un jeune policier. Le représentant des forces 200 de l'ordre, voisin de la famille du petit, nettoyait son arme dans son appartement. Le coup était parti. Une balle avait traversé le mur, et touché l'enfant. Sur la radio communautaire, on avait dit que les médias bien établis avaient tu ce fait parce qu'il s'agissait d'un enfant noir. On avait laissé entendre que l'acte était raciste. 205 D'ailleurs, l'agent de police n'était pas inquiété. Afin de protester et de soutenir la famille, une organisation radicale prévoyait une manifestation. Son porte-parole avait dit : « Fils de Kemet[1], l'heure est venue pour nous de redresser la tête. Pouvons-nous continuer à laisser ce système inique[2] danser sur nos cadavres ? Voilà qu'on 210 assassine impunément nos enfants. Fils de Kemet, nous vous invitons solennellement à la marche… » Le jeune homme avait décidé de s'y rendre. Il voulait, pour la première fois de son existence, participer à une manifestation communautaire.

Il arriva bientôt sur le lieu du rendez-vous. Une foule clairse-215 mée attendait patiemment l'ordre de se mettre en route. Des gens brandissaient des pancartes, agitaient des banderoles. On pouvait y lire des slogans : « plus jamais ça », « le pouvoir au peuple », « réparations », ou « justice pour Aboubakar… ». Tel était le nom de

---

1 Égypte antique, terme couramment usité pour signifier l'Afrique entière, même si cet usage est abusif. (NdA)

2. ***Inique*** : contraire à l'équité ; l'équité consiste à traiter chacun de façon égale.

l'enfant mort. Il s'appelait Aboubakar. Observant attentivement
220 la foule, le jeune homme aperçut une femme en pleurs, entourée de garçons qui semblaient être les organisateurs de l'événement. Il s'agissait sans doute de la mère du petit. Elle portait un ensemble pagne, comme souvent les femmes du Sahel. Un foulard noué de façon complexe lui faisait une coiffe digne de la reine d'An-
225 gleterre. Il était si serré que les vents les plus furieux ne l'auraient pas ébranlé. Les jeunes gens qui lui tenaient la main, lui parlant à voix basse, portaient des t-shirts frappés de l'*Ankh*[1]. Sans les connaître, le jeune homme sut qu'il s'agissait de nationalistes noirs, férus d'égyptologie. Il ne partageait pas leurs opinions. Il
230 ne se posait pas les questions qui semblaient les obséder.

Il regarda autour de lui. Inconsciemment, il se mit à compter. Combien de Noirs, et combien d'autres, pour pleurer l'enfant, soutenir sa famille ? La foule s'épaississait peu à peu. Ceux qui s'ajoutaient au cortège étaient de toutes les générations. Ils avaient
235 le derme substantiellement chargé en mélanine[2]. Ils étaient sombres comme la nuit. Ils étaient d'ébène[3], d'okoumé[4], de miel mille fleurs. Ce n'était pas parce qu'on était dans l'est parisien, où les immigrés venus d'Afrique étaient encore nombreux. Ce n'était pas parce que la majorité des habitants de ce pays se désintéressait
240 des enfants noirs qui mouraient près de chez eux. Ce n'était pas vrai. Il y avait, dans ce pays, quantité d'individus issus de l'ethnie majoritaire dont l'unique combat était la défense des immigrés. Ils chantaient encore « L'Affiche rouge[5] ». Ils se couchaient sur

---

1. Croix égyptienne, symbole de vie éternelle et de pouvoir. Également appelée *croix de vie*. (NdA)

2. ***Mélanine*** : substance à l'origine de la pigmentation brune de la peau, des cheveux et de l'iris.

3. ***D'ébène*** : de la couleur noire du bois d'ébène.

4. ***D'okoumé*** : de la couleur rosée du bois d'okoumé.

5. « L'Affiche rouge » est une chanson de Léo Ferré (1916-1993), en hommage aux membres du groupe Manouchian, résistants FTP-MOI (Francs-tireurs et partisans-Main-d'œuvre immigrée), pour la plupart étrangers.

le passage des voitures de police, pour empêcher l'arrestation d'un clandestin. Ils luttaient de toutes leurs forces, pour que des enfants sans-papiers étudient en France. Ils transgressaient la loi, hébergeant des clandestins sous leur toit. Ils n'étaient pas là. Ils n'écoutaient pas les radios communautaires. La famille d'Aboubakar, modeste, peu instruite, n'avait pas su comment s'adresser aux grands médias. Il ne lui était resté que sa communauté, pour longer dans son deuil les marges de la collectivité nationale.

Le cortège s'ébranla. Le jeune homme emboîta le pas à ceux qui étaient devant lui. Il regarda encore, et vit tout de même quelques représentants de la majorité. Impressionnés par le nombre de ceux qui étaient habituellement minoritaires, ils se faisaient discrets. Les slogans écrits sur des banderoles les y invitaient. Ils étaient mal à l'aise, eux qui étaient venus en humains, en frères, dire aussi : « plus jamais ça, justice pour Aboubakar… ». Le jeune homme eut un pincement au cœur. Son regard s'attacha à ces visages pâles, éparpillés dans la foule. Ils avaient revêtus des T-shirts sur lesquels on pouvait lire leur solidarité, leur intérêt pour des causes justes : « *Africa wants to be free*[1] », « un autre monde est possible », « annulation de la dette ». Leurs épaules s'affaissaient. Ils ne savaient plus s'ils avaient le droit d'exprimer tout cela. D'autres que le jeune homme les regardaient. Dans leurs expressions dénuées d'empathie[2], il y avait du ressentiment[3], une haine latente. On désapprouvait leur présence. Ils n'étaient pas *fils de Kemet*. Ils étaient la descendance des esclavagistes et des colons. Ils étaient venus faire de l'entrisme[4], empêcher les *kémites*[5] de s'unir et de se prendre en main. On les fusillait des yeux. On ne leur parlait pas. Tel était désormais le pays. Fracturé.

---

1. ***« Africa wants to be free »*** : « L'Afrique veut être libre ».
2. ***Empathie*** : capacité à se mettre à la place d'autrui.
3. ***Ressentiment*** : rancune.
4. ***Entrisme*** : introduction de nouveaux membres dans une organisation afin d'en modifier la ligne morale ou politique, les valeurs.
5. Les Noirs. (NdA)

Le jeune homme marcha avec la foule, le long des rues désolées que la préfecture de police avait permis qu'on arpente. Il n'avait pas été question que cette manifestation suive les parcours habituels. Elle avait été confinée à des passages secrets, presque souterrains, des ruelles dont le jeune homme ignorait l'existence. Des immeubles délabrés rappelaient les bidonvilles des métropoles du tiers-monde. Sur les perrons, des enfants vêtus de haillons, leurs cheveux crépus mal peignés, observaient les marcheurs en suçant leur pouce. Des vieillards jouaient aux dominos sur des tables branlantes, levaient distraitement la tête, avant de retourner à leur partie. Des échoppes insalubres déversaient leur marchandise exotique le long des trottoirs : igname[1], manioc[2], banane plantain[3], gombo[4], piment. Du linge élimé[5], d'une propreté douteuse, pendait aux fenêtres maculées de déjections de pigeons. D'énormes poubelles vertes, alignées le long des trottoirs, attendaient désespérément d'être vidées. L'air chaud aggravait la situation. Des humains vivaient là. Tous les jours. Ils payaient des loyers. Tel était le pays où on marchait, en ce dimanche après-midi de juin. Il faisait chaud. L'été approchait à grands pas. Cela ne changeait rien. La vie n'était pas douce[6].

À l'avant du cortège, les jeunes porteurs de l'*Ankh* martelaient l'asphalte[7] d'un pas décidé. Ils étaient aussi déterminés,

---

1. ***Igname*** : plante tropicale dont on consomme le tubercule farineux.
2. ***Manioc*** : plante tropicale dont la racine fournit le tapioca, fécule utilisée pour les potages et les bouillies notamment.
3. ***Banane plantain*** : fruit du plantain, consommé comme légume cuit.
4. ***Gombo*** : fruit de l'arbre du même nom, consommé comme légume ou condiment.
5. ***Élimé*** : se dit d'un vêtement ou d'un tissu usé par frottement, à force d'avoir été porté ou utilisé.
6. Allusion aux paroles de la chanson « Summertime » : « *summertime, and the living is easy…* » (NdA)
7. ***Asphalte*** : voir note 1, p. 47.

aussi disciplinés que les *Fruits of Islam*[1], dans le film de Spike Lee sur la vie de Malcolm X. Le jeune homme l'avait vu le jour de sa sortie. Il était encore au lycée. Les seuls représentants de la majorité ayant osé se glisser dans l'assistance étaient des journalistes. La tension était palpable. À la fin de la séance, ils avaient filé à l'anglaise[2]. Ce souvenir frappa le jeune homme, comme un avertissement qu'il n'avait pas entendu. La séparation des communautés avait fermenté dans le silence, dans les non-dits. Elle avait macéré dans le désir étrange, souvent affirmé dans le pays, de tourner des pages d'Histoire sans les avoir lues. Ceux dont le nom était écrit sur ces pages avaient un cri au cœur. Ils le pousseraient désormais, chaque fois qu'ils le pourraient, et même sans raison.

Ceux qui marchaient dans le calme ce jour viendraient demain, tout à l'heure, tailler en pièces la paix sociale. On voudrait les en empêcher. On dissoudrait leurs organisations. On les mettrait en prison pour incitation à la haine. Leurs troupes se radicaliseraient. Parce que la douleur se nourrit du silence. Parce que la douleur aveugle. Il songea que ces nationalistes noirs n'avaient été, comme lui, que des enfants de ce pays. Il s'était passé du temps, avant qu'ils se décident à arborer l'*Ankh*, à se proclamer *fils de Kemet*. Il s'était passé du temps, avant qu'ils veuillent être désormais une nation dans la nation, définitivement contiguë, irrémédiablement séparée. Ils étaient allés à l'école, la même que lui. Les symboles proposés ne leur avaient pas suffi. Ils n'avaient pas réussi à se les approprier. Ils n'avaient pas compris que l'universel professé, en tout temps et en tout lieu, n'ait jamais leur visage. C'était comme si l'universel s'était bâti sans eux. Cela

---

1. Service d'ordre de la Nation of Islam, du temps de Malcolm X. Le film dont il est question ici s'intitule simplement *Malcolm X.* Il retrace la vie de l'activiste noir américain. Sous la houlette de Louis Farrakhan, les Fruits of Islam sont devenus une entreprise de sécurité commerciale. (NdA)

2. «Filer à l'anglaise» signifie «s'en aller précipitamment», pour échapper à quelque chose (connotation péjorative).

était-il possible ? Ils avaient cherché des réponses, et les avaient trouvées. Les décryptant à la lumière de leurs manques et de
325 leur solitude, ils les avaient appréhendées comme ils avaient pu. Ensuite, ils avaient grandi.

Le jeune homme n'avait, quant à lui, jamais ressenti ces manques. Il n'avait jamais vécu dans ces environnements crasseux, où on devait avoir le sentiment, sitôt qu'on ouvrait les yeux, que le
330 monde entier vous déféquait[1] dessus. Sous le toit de ses parents, il avait mangé à sa faim. Ils avaient toujours su masquer leurs difficultés matérielles, enseigner à leur fils que les hommes étaient tous les mêmes, qu'ils faisaient tous des choses horribles, dès que l'occasion leur en était donnée. Parfois, ils parlaient de l'Histoire.
335 Il n'avait eu besoin de la chercher nulle part. Ils avaient eu la sagesse de l'évoquer, en replaçant ses épisodes dans la globalité de l'Histoire humaine, faite de conquêtes et de dominations, de guerres et d'humiliations. En tout temps, en tout lieu. Ils l'avaient emmené en Afrique. Chaque fois qu'il s'était rendu dans leur
340 pays, il avait eu conscience d'être un Occidental. Un Français avant tout, parce qu'on appartient à la terre de son enfance. À ses yeux, glorifier la nation restait une manière belliciste[2] d'envisager les relations entre les hommes. La nationalité n'était qu'une question administrative, et le nationalisme, un passage vers l'enfer.
345 Dans l'Afrique qu'il avait visitée, le jeune homme avait vu le fort écraser le faible, le riche mépriser le pauvre, comme partout ailleurs. Dans cette Afrique-là, on ne dansait pas en permanence. On ne s'aimait pas davantage que sous d'autres cieux. Ce n'était pas une terre mythique. Ce n'était pas une sorte de rêve éveillé, pour
350 les déracinés, les vacanciers ou les aventuriers. C'était une réalité complexe, à prendre en compte sous toutes ses formes. Il ne l'avait jamais idéalisée, ne se sentant pas *fils de Kemet*, mais homme, tout simplement. Il y avait peut-être des failles dans l'éducation de ses

---

1. *Déféquait* : faisait ses besoins.
2. *Belliciste* : qui pousse à la guerre.

parents. Ils auraient dû le préparer au tour que prenaient les choses. Ils avaient fait de leur mieux. Il ne leur reprochait rien.

Perdu dans ses pensées, le jeune homme ne s'était pas aperçu qu'on s'était arrêté de marcher. Après avoir exploré des territoires incongrus en plein Paris, où les gens avaient des maladies de peau qu'on pensait disparues depuis le Moyen Âge, on était arrivé. Le lieu n'avait rien de particulièrement symbolique. Ce n'était ni la République, ni la Nation, ni la Bastille, et certainement pas la Concorde. Les manifestants n'avaient pu converger que vers une place sans nom, où on piétinait sur du sable. Une statue de pierre semblait avoir été esquissée, puis abandonnée à la hâte, si bien qu'on ignorait ce qu'elle représentait. Elle se tenait là, comme embarrassée par sa propre masse.

Un des porteurs de l'*Ankh* prit place sous ce monument qui ne rappelait rien. La foule leva les yeux vers lui. Embrassant l'assistance du regard, il lança un tonitruant : « Hotep[1], mes frères ! » Un chœur enfiévré lui répondit : « Hotep ! » Après un hochement satisfait de la tête, il présenta son organisation et ses buts. Il dit que les *kémites* devaient se prendre en main, défendre seuls leurs intérêts, se tenir auprès de chacun des leurs, dans la détresse comme dans la liesse. Il passa la parole à un homme vêtu d'un boubou d'apparat : le père d'Aboubakar. Les détails de l'affaire furent portés à la connaissance des manifestants. La famille avait pris un avocat. On attendait un procès, mais on doutait qu'il se tienne. L'administration avait présenté des excuses, proposé de muter le jeune agent de police. La famille souhaitait que les obsèques se déroulent en Afrique. Elle manquait de moyens, pour faire rapatrier le corps. Elle faisait appel à la communauté. L'oncle remercia humblement les porteurs de l'*Ankh*, qui étaient les seuls à s'être souciés du sort de l'enfant mort, honorant sa mémoire par cette marche.

---

1. Transcription de l'égyptien ancien, h̲tp. Signifie *paix*, entre autres, et sert communément de salutation. (NdA)

Défendant la thèse du meurtre plutôt que celle de l'accident, le *militant de la cause kémite*, comme il se présentait lui-même, reprit la parole. Il dit encore un mot sur le petit Aboubakar, sur le chagrin des siens. Puis il passa très vite à son propos principal. Il parla des brutalités policières, des expulsions de sans-papiers, de la discrimination à l'embauche, des freins au regroupement familial, de la misère des Noirs à travers le monde. Il affirma qu'il fallait maintenant rendre coup pour coup. Le moment était venu de ne plus tendre l'autre joue. Il parla des *Nations nègres*[1], qu'il convenait de réhabiliter, de faire rayonner enfin. La foule applaudit. Des encouragements fusèrent çà et là. Une vive émotion parcourait ceux qui avaient le teint sombre, la peau d'ébène ou d'okoumé. Il y avait longtemps qu'ils attendaient qu'on les honore, qu'on leur dise qu'on avait menti à leur sujet. Ce n'était pas vrai qu'ils étaient des sauvages, qu'ils n'avaient rien inventé, que le monde s'était fait sans eux, qu'ils étaient nés pour servir les autres. Peu importait, que l'occasion soit mal choisie, pour un discours mêlant dans le désordre, l'Histoire, la politique, et les petits tracas de la vie quotidienne. Ils brandissaient un poing rageur vers le ciel, affirmaient leur identité : *fils de Kemet*. Le porteur de l'*Ankh* venait de lever, rien que par la parole, la malédiction de Cham[2].

Le jeune homme regarda les visages pâles, éparpillés dans la foule. Il vit aussi l'œil embué de la mère d'Aboubakar, qui ne comprenait pas de quoi on parlait. Cette manifestation ne lui avait rien appris sur lui-même qu'il ne sache déjà. Elle ne lui avait rien enseigné qu'il n'ait pu supposer. Que tous les extrémismes étaient les mêmes. Qu'ils s'adressaient au cœur des hommes, davantage qu'à leur intelligence. Qu'ils se nourrissaient de peurs et de frustrations. Que l'autre était leur ennemi. Qu'il était toujours plus simple de se replier sur soi que de s'ouvrir. L'été approchait, et la

---

1. *Nations nègres et culture* est le titre d'un livre du chercheur sénégalais Cheikh Anta Diop. (NdA)

2. La malédiction de Cham (Genèse, 9, 22-26) a été utilisée pour justifier l'esclavage des Noirs. (NdA)

vie n'était décidément pas douce. Il était persuadé que les porteurs de l'*Ankh*, comme lui, n'avaient jamais vécu ailleurs. Il leur fallait parler la langue de ce pays, pour revendiquer leur appartenance à *Kemet*, pour affirmer que la France ne leur avait jamais rien donné, qu'ils n'avaient rien à lui rendre, que c'était même tout le contraire. Ils étaient encore peu nombreux, en ce dimanche après-midi de juin. Leur colère avait poussé sur un terreau préparé par d'autres, alors qu'ils n'étaient que des enfants. Ils ne voulaient plus accepter, pardonner, attendre, passer à autre chose.

Il pouvait les comprendre. Cependant, il ne parvenait à adhérer ni au discours, ni à la méthode. Il doutait des justices revanchardes[1]. Il ne croyait pas qu'on se venge jamais de l'Histoire en se rendant coupable, à l'égard d'autres que soi, de la malveillance qu'on avait subie. Allait-on vraiment rendre coup pour coup le mépris, le rejet, la violence ? Et à qui allait-on rendre ces coups ? Il ne posa pas la question aux militants de la cause noire. Il ne leur dit rien. Il connaissait la réponse. Les coups seraient toujours portés aux gens de peu, à ceux qu'on aurait sous la main. Les puissants n'avaient aucun souci à se faire. Le jeune homme se faufila lentement, entre des corps au derme substantiellement chargé en mélanine. En prenant le métro pour retourner rue du Groupe-Manoukian, il songea que les hommes étaient bien tous les mêmes : prêts à basculer dans l'horreur, dès que l'occasion leur en était donnée. La tragédie semblait toujours ne partir de rien. On ne constatait les dégâts qu'un beau matin, lorsqu'il était trop tard. Frappé d'effroi, on constatait qu'on tenait en main une grenade dégoupillée. On ne se souvenait pas de l'avoir saisie, ni même des raisons pour lesquelles on l'avait fait. Il ne restait alors que la vie, sur le fil du rasoir. Il ne restait alors qu'un maillage de cicatrices mal refermées, pour former le relief d'un pays peinant à atteindre ses idéaux : *liberté, égalité, fraternité*

1. ***Revanchardes*** : dominées par un désir de revanche (terme familier et péjoratif).

166, rue de C.

Vous ne connaissez pas cette rue. Seuls ceux qui y vivent la connaissent. Ce n'est pas l'avenue célèbre, emblème de la cité, avec son arc de triomphe. Cette rue ne s'achète pas au Monopoly. Elle n'est rien. Pourtant, elle existe. Quelque part entre la rue de Flandres et le canal de l'Ourcq. C'est une artère désolée, comme la ville en compte de nombreuses. Au 166, il y a une immense porte métallique. Elle est peinte de noir, comme pour tenir les curieux à distance. Ceux qui voudraient faire connaissance. Vous n'auriez pas le droit de vous arrêter trop longtemps devant. C'est interdit. Vous ne le sauriez pas si vous y alliez, mais de l'intérieur, une caméra observe les mouvements de la rue. On vous épie. Pourtant, ce n'est pas exactement un *quartier de haute sécurité*. Le bâtiment n'abrite ni l'armée, ni les services secrets, ni une grande banque. Ce n'est qu'un lieu de transit. Derrière la porte métallique, il y a un autre monde. Vous le subodorez[1], sans le savoir vraiment. Il vous apparaît parfois, bien qu'un peu obscurément, lorsqu'une malheureuse étend la main sous vos yeux. Elle dit : « Une pièce pour manger, s'il vous plaît. » Vous détournez le regard. Ce n'est pas un reproche. Cela m'arrive aussi. Elles sont légion, et nous avons si peu de pièces. Vous ne savez pas ce qu'elle fait de ses journées. Vous ne la

1. ***Vous le subodorez*** : vous le devinez, vous le pressentez.

voyez pas se hâter le soir, pour passer à temps la porte noire. Il y a des heures autorisées. Une sorte de couvre-feu. Certains habitants de ce pays vivent un tumulte sans trêve. Ils voudraient bien porter le joli nom de *citoyens.* Ils ne remplissent pas les conditions requises.

Le 166, rue de C. reçoit des marginales. La question de la citoyenneté, lorsqu'elles passent la porte noire, ne les préoccupe pas. Elles se demandent seulement ce qu'elles vont devenir. Le 166 n'est pas une maison. Pas non plus un hôtel. C'est, cependant, le seul abri qu'elles aient. Un *centre d'hébergement d'urgence*. Elles y sont reçues dans la précipitation. Pour une brève durée. C'est provisoire. Ensuite, elles font comme elles peuvent. Elles vont où on leur dit. Quelquefois, nulle part. Juste dehors. Parce que d'autres urgences frappent à la porte noire, et qu'il y a peu de places. Vous vous demandez qui je suis, comment je sais cela. Mon nom est Louise, Laurence, peut-être Magali. Je suis n'importe qui. Moi aussi, j'ai dû passer la porte. C'est comme cela que je les ai vues. Celles dont vous apercevez parfois la silhouette. Mon histoire est banale. C'est la leur. L'existence chaotique de celles qui, à un moment donné, sans s'en rendre compte, ont marché hors des clous[1]. Surprises par les dangers abondant le long de la zone interdite, elles sont tombées. Le 166 et sa porte noire leur ont parfois permis de ne pas s'écraser. Pour moi, ils furent ce recours inattendu. La planche rugueuse de mon salut. Il devait y avoir encore bien des stations sur mon chemin de croix[2], mais je suis là. Je vis. J'ai toute ma tête. Je suis

---

1. ***Hors des clous*** : les clous désignent les passages protégés pour piétons (terme sorti de l'usage) ; marcher hors des clous signifie donc s'engager sur des chemins dangereux.
2. ***Chemin de croix*** : chemin suivi par Jésus, portant sur son dos la croix sur laquelle il fut crucifié, sur le mont Golgotha ; au sens figuré, un chemin de croix désigne une épreuve longue et douloureuse. Les *stations* désignent chacun des arrêts de Jésus pendant son chemin de croix ; ici, chacune des épreuves endurées.

une citoyenne. Il y a des années que je ne suis pas passée rue de C., entre la rue de Flandres et le canal de l'Ourcq. Pourtant, il est des soirs comme celui-ci, où des souvenirs acides m'assaillent. Je revois toutes ces femmes. Leur prénom, leur visage, des bribes de leur histoire me reviennent. Je pleure doucement. En dedans seulement, pour qu'on ne me demande pas d'en parler. Les mots ne viendraient pas. Ils diraient, si je les trouvais, qu'en dépit des apparences, je ne suis pas comme vous. Pour moi, l'exclusion n'est pas ce mot qu'emploient les journalistes. Il ne s'agit pas d'une notion indéfinie, d'un mal abstrait, ne frappant qu'une catégorie d'individus.

L'exclusion, ce sont ces visages, ces voix, la fureur inconnue que dissimule une porte noire, à l'intérieur de la ville. Ce soir, je n'aurai pas les mots de la conversation, pour vous dire les innombrables qui m'accompagnent. Où que j'aille. Elles sont avec moi, en moi. Nous nous confondons inlassablement, et il arrive que je ne sache pas, lorsque je me parle à moi-même, si c'est leur voix ou la mienne que j'entends. Elles tiennent entre vous et moi la porte noire qui les cache à la rue. Elles sont un lourd secret, comme le terme d'une initiation. Quelque chose qui vous enseigne à vivre, en vous rappelant constamment combien nous sommes fragiles. Nous tous, les humains. Combien nous nous devons, les uns aux autres, la plus grande attention. La peau des femmes du 166 a toutes les nuances. Le malheur ignore la discrimination. Il ne prend pas toujours la peine de vous donner rendez-vous, et se rit des origines. Aussi, les figures dont nous n'allons pas tranquillement converser n'auront-elles que des prénoms. Je vous ouvrirai un instant la porte sombre de cette mémoire vive, et vous laisserai ensuite à votre existence. Qu'elle soit paisible. Que la terre des vivants jamais ne vous soit trop aride. Demain sera un autre jour. Je ne dirai plus rien, et vous ne connaîtrez pas cette adresse : 166, rue de C. Personne ne la connaît. Ceux qui habitent la rue passent très vite devant. Ils savent qu'on y héberge en urgence, les accidentées de la zone interdite. Certains n'aiment pas beaucoup ça. Ces vies hachurées[1], tout près de la crèche de leurs enfants, près de l'église, près du petit pont enjambant le canal. La plupart ne disent rien. Ne veulent ni voir, ni savoir. Ils passent en hâte. 85 Ces femmes pourraient bien entrer en eux, comme elles vinrent en moi. Elles seraient là, indéfiniment.

I

Il est tard. Dans la chambre aux lits superposés, personne ne dort. Nous sommes six femmes. Deux d'entre nous ont des bébés. Ils sont couchés dans des lits à barreaux. Ils s'agitent, gémissent, 90 ne dorment pas tout à fait, eux non plus. Nous partageons deux armoires. Elles ne ferment pas à clé. La fenêtre à barreaux donne sur une cour qu'encerclent des bâtiments de pierre. Des femmes s'y trouvent encore, peu désireuses de regagner des chambres sans intimité. Elles parlent à voix haute, comme souvent les filles d'ici. 95 Elles ont omis d'apprendre les bonnes manières. Par ailleurs, elles ont besoin que leur présence ne soit pas ignorée. Elles se font remarquer, même malgré elles. Elles sont bruyantes. Cette nuit, elles tentent de consoler Amélie. Elle sort de prison. Elle y a passé des années. Nul ne cherche à savoir pourquoi. Ce n'est pas la 100 peine. Nous avons toutes fait quelque chose. Nous avons toutes failli[2]. Autrement, il ne nous aurait pas fallu passer la porte noire du 166, décliner notre identité, raconter une énième fois l'histoire justifiant que la société dépense quelques euros pour nous offrir un lit. Nous sommes les vilaines filles. Les inadaptées, les ingéra- 105 bles, les écorchées, les enragées, les extravagantes[3]. Nous avons

---

1. ***Hachurées*** : pleines de hachures ; le mot est ici employé au sens figuré et signifie « pleines de blessures ».
2. ***Failli*** : commis des fautes.
3. ***Les extravagantes*** : au sens premier, celles qui sont sorties du chemin habituel.

mauvais genre. Nous n'avons pas su laisser le monde raboter nos aspérités.

J'ai vu Amélie tout à l'heure. Elle est arrivée cet après-midi. Elle était attendue. Je lui ai trouvé le visage dur, une curieuse 110 allure de petit homme, avec ses cheveux courts, son jean à la coupe droite. Cette nuit, elle pleure dans la cour. Ses sanglots sont des hurlements d'animal blessé. Il n'y a pas de dures à cuire, au 166. Ce n'est qu'une apparence. Ce regard courroucé que nous avons souvent est la cloison derrière laquelle nous cachons 115 nos blessures et nos craintes. Amélie pleure, comme sans doute jamais dans sa prison. Elle a des enfants. Placés quelque part. Elle voudrait les revoir. Mais que leur a-t-on dit ? Ils pensent sûrement qu'elle ne les aime plus, qu'elle est mauvaise. Peut-être qu'ils ne veulent plus d'elle. On ne dit jamais que les gens changent, 120 qu'une faute commise n'est pas forcément réitérée[1]. Les adultes ne le croient pas, qui voient dans le casier judiciaire la marque d'une faute indélébile. Alors, que peuvent penser les enfants ? Amélie pleure. Elle a des frères, une mère encore en vie. Personne n'a voulu l'accueillir, pour voir qu'elle n'était plus celle d'avant. 125 Ils n'ont pas voulu lui parler au téléphone. Ils ne sauront jamais. Le 166 ne la gardera que huit jours. La priorité est donnée à celles qui ont des enfants. Elle en a, mais ce n'est pas pareil. Ils ne sont plus à elle.

Les voix qui lui répondent, tentant d'apaiser son chagrin, 130 sont éraillées[2], rauques, un peu cassées. Elles cherchent au fond d'elles-mêmes la douceur qu'elles ne s'autorisent plus depuis bien longtemps. Elles cherchent les mots, pour dire que ça va s'arranger, qu'il faut être patiente. Elles ne savent pas si elles y croient, mais elles aimeraient bien. Ce n'est pas vraiment à Amélie 135 qu'elles s'adressent. Chacune essaie de se donner du courage. Je les entends depuis la chambre. Je ne bouge pas, ne cherche pas

---

1. ***Réitérée*** : commise à nouveau.
2. ***Éraillées*** : rendues rauques, comme enrouées.

Morphée[1] qui me refuserait encore ses bras. Tout se mérite, et seul le juste a droit au sommeil. Dans le couloir, Farida et Sacha se disputent. Elles s'accusent mutuellement du vol d'un jean de marque. Il n'était à aucune des deux, mais elles se menacent de mort pour le récupérer. Leur échange n'a pas de sens. Pourtant, elles le poursuivent dans un acharnement si désespéré qu'il ne peut être question d'un pantalon. Comme toutes les femmes du 166, elles emploient un mot pour un autre. La parole n'est jamais ce qu'elle semble. Tout à coup, la porte d'entrée claque. Un long tremblement l'ébranle. On la croirait lourde, cette porte blindée, à même de supporter n'importe quel choc. Les voix se taisent. Dans la cour et dans le couloir. D'autres prennent le relais. Celles du personnel du centre, peu nombreux à cette heure.

Une femme vient d'entrer. Elle crie. C'est habituel ici, mais quelque chose dans ce cri me pousse à me lever. Je traverse le couloir que Farida et Sacha ont déjà déserté. Appelées elles aussi, elles se sont précipitées. Nous nous croisons en haut des marches de l'escalier, d'où nous entendons distinctement la nouvelle venue. Nous ne saurons son nom que demain. Cette nuit, nous la voyons seulement. Elle porte une chemise de nuit blanche et des pantoufles. Ses bras mal assurés tiennent un nouveau-né dodu. Elle tremble de la tête aux pieds. Ses yeux ne discernent rien. Elle tend l'enfant à celles qui l'entourent. Elle dit : « Débarrassez-moi de ce bébé. » Elle dit encore : « Qui veut un bébé ? Qui veut un bébé ? » Sa voix supplie et ordonne à la fois. Une femme s'approche. Elle s'appelle Rose. Elle a cinq enfants, dont deux adolescents. Elle a fui un mari violent. Elle en avait si peur qu'elle a quitté les Antilles, pour mettre le plus de distance possible entre eux. Rose prend le bébé dans ses bras. Une des employées du centre vient lui chuchoter quelques mots. Ces situations ne sont pas prévues. Le personnel ne peut garder un nouveau-né à l'ac-

---

1. Morphée, fils de la Nuit et du Sommeil, est le dieu des rêves dans la mythologie grecque ; « être dans les bras de Morphée » signifie « dormir ».

cueil. Rose dit qu'elle s'en chargera. Elle le remettra demain à la directrice de la crèche.

170 Il y a une crèche dans le centre. Pour que les mamans se reposent. Pour qu'elles puissent aller faire des démarches administratives, chercher un emploi. Pour qu'on vérifie qu'elles sont de bonnes mères. Les enfants sont auscultés, les bleus minutieusement recherchés. Leur comportement fait l'objet d'études, d'ana-
175 lyses poussées. Nous sommes de vilaines filles. Des asociales, potentiellement dangereuses. Nous toutes, qui observons la scène sans un mot. Demain, nous saurons que la nouvelle s'appelle Eugénie. Nous comprendrons qu'elle est fatiguée. Très fatiguée. Elle a un autre enfant. Un fils. Son mari ne voulait pas d'une
180 fille. Il ne l'aide pas. Avec les deux petits, elle est épuisée. Ils se sont disputés, cette nuit. Il l'a battue. Les voisins ont appelé la police, qui l'a conduite ici. L'époux a gardé son fils. Eugénie craque. Elle aime sa fille. Deux jours après son arrivée, elle la réclame. On ne la lui rend pas. Elle est fragile. Imprévisible. Elle
185 pourrait bien recommencer. Se désunir une fois de plus. Perdre la tête. D'ailleurs, pendant deux jours, elle ne s'est pas souciée de l'enfant. La petite est placée en pouponnière[1]. Eugénie ne peut encore lui rendre visite. Il est trop tôt. Elle ne comprend pas, devient une furie. Elle cherche la bagarre. Elle injurie, elle
190 menace. Le personnel. Les autres femmes. Elle est envoyée en maison de repos. Nous ne savons plus rien d'elle.

II

Parfois, je m'assieds dans cette pièce, au premier étage de la bâtisse. Ils l'appellent *le salon.* Quelques chaises en bois sont alignées le long des murs. Une grande fenêtre à barreaux donne sur

---

1. ***Pouponnière*** : crèche.

la rue de C. On ne peut pas vraiment se pencher pour voir. Toutes les fenêtres ont des barreaux d'acier. Pour éviter les suicides. Pour éviter qu'une femme en défenestre une autre. Je viens ici l'après-midi, quand les autres prennent la petite collation[1] qu'on nous sert à cette heure. Beaucoup sortent ensuite. Elles marchent dans la ville, où elles côtoient la norme. Certaines arrivent à s'y fondre un instant, parce qu'elles ont trouvé un petit emploi. Quelques heures de ménage. Une place de serveuse. Une situation qui leur permet de parler à des gens. Ce n'est que la nuit, quand elles reviennent ici, qu'elles se confrontent à leur condition. On ne leur a pas encore trouvé de logement. Les hôtels sociaux sont bondés. Elles n'ont pas de caution solidaire[2], pour louer un studio. Elles gagnent trop mal leur vie, pour rassurer les propriétaires. Elles sont encore ici. La nuit, elles ne dorment pas. Elles s'adressent des reproches silencieux, qui claquent au fond de leur crâne surchauffé, comme un *rimshot*[3] lancinant. Ça s'appelle une migraine, et ça n'a pas de fin.

Tous les après-midi, Maya est dans le *salon*. Étendue à même le sol froid. Elle ne goûte pas le confort des lits. Il y a trop longtemps qu'elle ne connaît que les cartons posés sur le trottoir. Les matelas sont trop mous. Ils sont comme cette vie normale qui ne l'attire pas. Elle passe souvent la porte noire. Puis elle retourne dans la rue. C'est là qu'elle habite. C'est son univers. Elle se lève parfois pour aller aux toilettes. Elle ne s'assied pas sur la lunette. Elle urine debout, les jambes écartées, légèrement fléchies. Elle se recouche ensuite, et se réveille à la nuit tombée. Maya est une chauve-souris. Elle a ses heures, qui ne sont pas les nôtres. Elle sort la nuit, après le couvre-feu[4]. On la laisse faire. La société ne la rattrapera pas. Il est trop tard. Elle a trente ans, et quinze ans

---

1. ***Collation*** : repas léger.

2. ***Caution solidaire*** : personne qui se porte garante pour une autre.

3. Coup de baguette tapé à plat, sur le bord de la caisse claire d'une batterie. (NdA)

4. ***Couvre-feu*** : heure à partir de laquelle toute circulation est interdite.

de rue. Très étrangement, elle parle un français châtié[1]. Celui des
225 fillettes en robes à smocks[2]. Celui des vieilles familles. Elle ne raconte jamais sa vie d'avant. Ce n'est plus sa vie. Quand elle a besoin d'argent, elle hèle les passants. Elle leur propose une fellation[3]. Ils se détournent. Ils hâtent le pas. Elle hurle. Dit que la pute, ce n'est pas elle. Elle ne se lève pas tous les matins, pour
230 aller exercer un emploi qu'elle n'aime pas. Elle ne se vend pas. Elle ne se soumet pas. Elle est libre. Son corps lui appartient. Ce n'est pas parce qu'elle le loue qu'elle n'est rien. « Au contraire ! Au contraire ! Bande de cons ! » C'est ce qu'elle dit.

Sophie vient aussi. Elle ne reste pas longtemps dans le *salon*.
235 Elle s'approche du téléviseur fixé en hauteur, sur le mur du fond. Elle change fébrilement de chaîne, puis elle soupire. « Y a jamais rien de bien, là-dedans. C'est pour nous rendre idiotes, qu'ils nous ont mis une télé. Tu peux me dire ce qu'on en a à faire ? » Elle parle sans me regarder. Elle parlerait, même si je n'étais pas
240 là. Elle s'accroche aux barreaux de la fenêtre pour voir la rue. Elle ne la voit pas. Elle s'assied sur une chaise, ramasse ses jambes sous elle. Elle les enserre de ses bras, jette alentour des regards inquiets. Sophie se sent traquée. Suivie en permanence. Elle a peur des enfants. Dès qu'il y en a un dans la pièce, elle se met à
245 crier : « Ne me touche pas ! » Elle se cache les yeux, en appliquant fermement la paume de ses mains dessus. Tout est dangereux. La vie est épineuse. Trop dure. Elle a peur. Dans la poche intérieure de sa parka, elle cache une canette de bière. L'alcool est interdit, derrière la porte noire. Ça lui est égal. Elle fait sauter le petit oper-
250 cule[4], introduit des cachets dans le liquide. Elle boit cul sec[5]. Puis, elle penche doucement la tête sur le côté, et se met à fredonner :

---

1. ***Châtié*** : sans incorrections.
2. ***Robes à smocks*** : robes avec des fronces décoratives.
3. ***Fellation*** : stimulation buccale du sexe de l'homme.
4. ***Opercule*** : pièce servant de couvercle pour le conditionnement des aliments.
5. ***Cul sec*** : d'un trait, sans pause (familier).

«un potiron tournait en rond, et le chou-fleur se dandinait avec entrain...». Elle ne connaît ni le début ni la fin de la comptine. Juste cette petite phrase qu'elle chantonne en caressant son 255 ventre. Sophie est enceinte. Elle dit à son enfant de ne pas naître. Le monde est méchant. Il y a des gens qui vous suivent. «Il ne faut pas sortir... et le chou-fleur se dandinait avec entrain.»

De l'autre côté du mur, il y a une autre pièce. Une large vitre permet de voir ce qu'il s'y passe. Dans le fond, il y a une salle 260 de bains. Avant, cette pièce était une chambre. On y logeait des femmes malades. À présent, elle est vide. Des femmes y viennent, avec des chaises. Elles se font des tresses, en parlant un dialecte d'Afrique centrale. Elles grignotent sans arrêt des chips de plantain. Personne ne remarque leur hyperphagie[1]. On se dit que 265 leurs formes généreuses font partie d'un phénotype[2]. Ce sont des caractéristiques ethniques. Elles le croient aussi. Elles mangent, et ne se font pas vomir. Elles gardent tout à l'intérieur. Elles parlent beaucoup, à voix haute. Pourtant, elles ne disent rien d'elles-mêmes. Comment et pourquoi elles sont ici. On devine leur âge, 270 non pas à leurs traits, mais à l'épaisseur de la taille. La trentaine passée, elles ont souvent le ventre rond. Elles ne sont pas enceintes. Elles ont des fibromes[3]. Plus souvent que les autres femmes. On ne dit pas pourquoi. Peut-être ne le sait-on pas. C'est comme ça. Les femmes africaines portent toujours un fardeau. 275 Elles l'acceptent. C'est l'ordre des choses. Elles lisent la Bible. Elles croient. Elles espèrent.

1. ***Hyperphagie*** : fait de trop manger.
2. ***Phénotype*** : ensemble des caractéristiques apparentes d'un individu.
3. ***Fibromes*** : tumeurs formées par du tissu fibreux.

III

Le réfectoire ressemble à une immense salle de bains, avec ses carreaux de faïence aux murs et au sol. Les voix des femmes y sont un incessant bourdonnement. Elles ont tous les âges. 280 Certaines sont très jeunes. Des adolescentes. Déjà seules. Déjà là. Les fenêtres sont une fente barrée tout en haut des murs. Nul ne peut les atteindre. L'air y passe, diffusant avec parcimonie[1] le souffle indispensable à la vie. Les cantinières viennent des îles. Toutes. On ne sait pas pourquoi. On a admis l'idée qu'elles ne 285 feraient que cela : servir et nettoyer. Elles sont aussi courbes et rebondies que les Africaines. Elles ont la même couleur. On ne les voit pas lire la Bible, mais elles portent un médaillon à l'effigie de[2] la Vierge, ou d'un saint quelconque. Elles servent des sauces trop grasses, de la viande trop cuite, du riz plein d'eau. 290 Nous faisons la queue. Ce repas est gratuit. Les cantinières sont gentilles. Elles nous sourient. Elles savent quelque chose de nous. Elles aussi sont enfermées ici, pendant de longues heures, tous les jours. Lorsqu'elles quittent leur blouse blanche pour rentrer chez elles où elles ont un mari et des enfants, elles ne nous oublient 295 pas. Elles ne connaissent pas toujours nos prénoms. Nous ne pouvons pas vraiment leur parler. Elles servent et sourient. Parfois, elles se font engueuler. Certaines femmes sont contentes d'avoir quelqu'un à leur service. Elles en profitent. Donnent des ordres, se plaignent de la qualité des repas, renversent exprès 300 leur plateau.

Il n'y a jamais le moindre silence, derrière la porte noire. Trop de femmes. Trop d'histoires. Véronique s'assied près de moi, à l'heure du déjeuner. Elle est grande, fine, toujours bien habillée. Lorsque les dames des beaux quartiers viennent à la porte noire 305 déposer les vêtements dont elles ne veulent plus, Véronique sait

---

1. ***Avec parcimonie*** : en petite quantité (terme péjoratif ici).
2. ***À l'effigie de*** : représentant.

choisir ce qui lui ira. Elle sort ensuite, avec cette démarche distinguée qui ne laisserait jamais imaginer qu'elle n'a pas de maison. Les tenues des saisons précédentes sont élégantes, sur elle. C'est du *vintage*[1]. La pointe de la mode. Dehors, elle ne fait rien de spécial. Elle ne rend pas de visites. Elle laisse les regards glisser sur elle. Des hommes lui disent qu'elle est belle. Elle va un peu à l'Agence nationale pour l'emploi. Son profil est complexe. Véronique a quarante-deux ans, même si elle en paraît dix de moins. Elle est seule. Avant, elle était danseuse. Elle faisait des tournées dans le monde entier. Elle parle plusieurs langues. Sans accent. Pourtant, elle est ici, dans ce gros entonnoir dont peu sortent définitivement. Du temps de sa vie d'artiste, elle ne songeait pas au lendemain. Ce jour où elle lèverait la jambe moins haut, le moment où des accidents lui auraient laissé trop de séquelles pour continuer. Elle n'a rien épargné, rien prévu. Elle vivait pour l'art. L'effort soutenu des répétitions quotidiennes. La griserie des applaudissements.

Sur le CV[2] de Véronique, il n'y a rien. C'est ce que dit l'Agence nationale pour l'emploi. Rien. Comme pas d'existence. Comme pas de trace à laisser, lorsqu'on sera partie. Ses années de danse ne sont pas une expérience professionnelle. Elle n'a pas fait partie de grandes compagnies. Une chute lui a laissé une très légère claudication[3]. Elle souffre du dos. Elle ne peut plus danser, pas même pour faire de l'animation, pendant des goûters d'anniversaire. Elle connaît plusieurs langues, mais pas le traitement de texte. «Comment voulez-vous trouver du travail ? Femme de ménage, je ne vois que ça.» Elle accepte. Même si elle a mal au dos. Elle cherche une situation. Parce qu'il le faut. L'assistante sociale qui s'occupe de nous lui a dit de faire vite. Une femme

---

1. ***Vintage*** : se dit d'un vêtement ou d'un accessoire d'époque passée redevenu à la mode (terme anglais signifiant «ancien», «d'époque»).
2. ***Le CV*** : le *curriculum vitæ*, document sur lequel on indique les étapes de son parcours de formation et de son parcours professionnel.
3. ***Claudication*** : fait de boiter.

335 sans enfants n'est pas prioritaire. Elle doit laisser la place. Trouver un emploi, ne plus déranger personne. Elle se souvient de l'autre Véronique. Celle que les messieurs courtisaient. Aucun n'est resté. Ils n'ont fait que passer. Elle n'a plus que des photos. Aucune de ces hommes. Seulement celles qu'ils ont prises d'elle. Elle me les 340 montre.

Véronique a des frères. Deux. Ici, dans cette ville. Ils ne se parlent plus. Je ne veux pas savoir pourquoi. Elle ne le dit pas. Elle ne peut rien leur demander, c'est tout. Elle a une mère, aussi. Quelque part aux Antilles. Une maman qui cuisine à merveille 345 des sauces au fruit à pain, qui fait un *blanc-manger*[1] divin. Elle dit que sa mère ne l'aime pas. Elles ne se parlent plus, depuis qu'elle a quitté la maison. Il y a bien vingt ans. Elle n'a personne. Elle n'est plus rien pour personne. Elle ne le dit pas, mais elle a peur de quitter le centre. Elle fume des cigarettes, laisse une trace de 350 rouge à lèvres sur le filtre. Sa voix est rauque et douce à la fois. Elle parle lentement. Elle articule bien. Un jour, je ne la vois plus. Ni ce jour-là, ni le lendemain. Une femme me dit qu'elle a trouvé une place dans un hôpital. L'assistante sociale l'a envoyée dans un hôtel social, pour quelques mois. Le temps de trouver un 355 logement, sans doute une chambre de bonne. Elle a de la chance. Elle va s'en sortir. Bien des femmes quittent le centre sans aucune solution.

Un après-midi, je passe la porte noire. Je veux me rendre rue de Joinville, où se situe une annexe du centre. C'est là que nous 360 recevons notre courrier. Des enveloppes s'empilent par dizaines. Il est toujours très difficile de savoir si une lettre nous attend. Elles ne sont pas classées. Elles s'accumulent, avec nos noms dessus, qui ne veulent plus rien dire. Les noms servent aux existants. Ils les définissent, les situent. Nous n'appartenons plus à cette 365 catégorie. Nous n'allons réclamer notre courrier que pour feindre d'être encore au monde. Nous savons que nous sommes en

1. Sorte de flan. (NdA)

deçà. La plupart d'entre nous. Pour toujours. Lorsque je pousse la porte, un rayon de soleil ardent m'éblouit. Mes yeux s'accoutument à la clarté, après un ou deux clignements. Véronique est devant la porte. Dans la rue. Elle danse. C'est ce qu'elle pense. Les passants la regardent. Elle fait la révérence. Ils applaudissent. Puis elle s'arrête. Personne n'attend le hurlement qu'elle pousse. Elle ôte sa jupe, sa veste, son chemisier. Elle ne porte pas de sous-vêtements. Rien que des collants, filés à l'arrière-train.

De sa bouche, elle extirpe un bonbon rouge qu'elle suçait. Elle le contemple comme s'il s'agissait d'une pierre précieuse. Un filet de salive lui suinte à la commissure[1] des lèvres. Tout doucement, elle se met à bouger la tête. Elle a une chanson dans la tête, que nous n'entendons pas. Les passants la regardent. Moi aussi. De l'intérieur du centre, la caméra la voit. Personne ne sort. Elle n'a pas essayé d'entrer. Elle observe le bonbon, et des larmes lui viennent. Bientôt, leur flot abondant lui baigne le visage. Elle lève la tête vers la porte noire devant laquelle je me tiens, interdite[2]. Elle fait mine de s'approcher, se retient. Elle pousse un cri guttural[3], sauvage. C'est moi qu'elle regarde, les larmes aux yeux, lorsqu'elle dit : « Maman, Maman… »

Un jour, je quitte le 166. Je tiens mon sac à la main. Je marche droit devant. Pas encore vers un appartement. Pas encore vers l'existence sociale. Un autre lieu de transit m'attend, où je serai gardée plus longtemps. Il n'y aura plus, aux premières heures du jour, ces grands coups frappés à la porte de la chambre pour qu'on sorte, qu'on nous voie. Il y aura encore un couvre-feu, mais également, des autorisations de sorties. Pour aller voir la famille un week-end. Pour fréquenter un homme. Jouer à être comme tout le monde. S'y préparer. Je ne remets pas les pieds dans le

1. ***À la commissure*** : aux coins de la bouche, là où les lèvres se joignent.
2. ***Interdite*** : sans savoir quoi dire ou faire.
3. ***Guttural*** : du fond de la gorge.

XIXe arrondissement de Paris, qui m'apparaît frappé du sceau de la misère. Ce n'est pas vrai, bien sûr. Il y a, non loin du centre d'hébergement d'urgence, des vies ordinaires. Des gens simples, normaux, comme on dit. Beaucoup ne savent pas qu'un tel lieu
400 existe, à quelques minutes de marche des Buttes-Chaumont où les mariés prennent la pose sous un soleil radieux. Je passe la porte noire un jour, et ne me retourne pas. Pourtant, j'emporte tout. Les hurlements au milieu de la nuit. La voix de celle qui parle dans son sommeil. Les pleurs. Les disputes. Les corps de ces femmes
405 qui n'ont plus leurs règles, qui voient du jour au lendemain des poils leur pousser sur le ventre, sous le menton. La solitude qui amène, au bout d'une énième nuit blanche, d'abord des attouchements inattendus, puis une sexualité dont on ne se passera plus. Tous les secrets des écartées. Ce que le 166 leur a révélé d'elles-
410 mêmes. Ce qu'il leur a dérobé. J'emporte tout. Un concentré de douleurs. Des existences défaites qui ne se referont pas. Et puis, surtout, la question : qui sont ces êtres fragiles, ces femmes qui déambulent un jour hors des voies balisées et qui tombent ? Il serait simple de prétendre qu'elles sont tout le monde, n'importe
415 qui. On pourrait dire qu'il suffit d'un rien, d'un choc imprévu, pour devenir une exclue. Ce n'est vrai qu'en partie. Celles qui chutent portent souvent en elles une faille ancienne qui devient un jour une béance[1]. Elles ont rêvé de travers pour se réveiller en plein cauchemar, à ne savoir quoi faire pour rebrousser chemin.
420 Elles ont cherché l'amour avec acharnement, toujours au mauvais endroit. Leurs hommes leur ont manifesté la violence et le mépris qu'elles pensaient mériter. Elles se sont droguées pour n'accéder jamais qu'à une version truquée du paradis. Alors, elles ne peuvent plus dormir sur un lit. Alors, elles se déshabillent dans la rue
425 en appelant une mère qui les a oubliées. Alors, elles ont peur des enfants même quand elles en portent un. Elles ne sont pas exactement tout le monde. La plupart des gens ne se déchirent pas aussi

1. ***Une béance*** : une grande déchirure (sens figuré).

irrémédiablement. Les femmes du 166 et celles des maisons similaires que la ville cache sont des fillettes blessées. Elles ont grandi, 430 et la blessure aussi. Lorsqu'elles cheminaient le long des précipices, personne ne les a vues. Elles marchaient encore. On n'a pas fait attention. Ou on n'a pas voulu. C'était trop compliqué. Les femmes du 166 sont caractérielles[1] depuis toujours. Quelque chose en elles effrayait déjà quand elles étaient petites, quand 435 elles portaient des couettes et des robes à smocks. Lorsqu'elles deviennent adultes, cette force se déchaîne pour gifler les assistantes sociales, pour décrocher les barreaux pourtant fermement accrochés aux fenêtres. Elles s'en font des armes pour se lancer dans des bagarres où ce n'est pas l'autre qu'elles veulent attein- 440 dre, mais elles-mêmes. C'est à elles-mêmes qu'elles en veulent le plus. Elles n'essaient pas de se sauver. À présent qu'elles sont tombées, elles ne rêvent plus. Parfois, elles attendent seulement, comme moi, le jour de la sortie. Ensuite, elles s'arrangent comme elles peuvent avec la vie. Elles n'y reviennent jamais vraiment, à 445 la vie. C'est trop tard.

1. ***Caractérielles*** : qui ont des troubles du caractère et un comportement exagérément agressif à l'égard de leur entourage.

DOSSIER

- Parcours de lecture
- Entretien avec Léonora Miano
- À quoi sert la littérature aujourd'hui ?
- Sur la notion d'engagement
- « Pour une "littérature-monde" en français »
- Le prix Goncourt

Parcours de lecture

Relisez chacune des nouvelles avant de répondre aux questions qui suivent ou de réaliser les travaux d'écriture proposés.

« Depuis la première heure »

Questions

1. Le début d'un récit introduit le lecteur dans un univers unique – celui du texte –, dont il dévoile les caractéristiques majeures. À partir du premier paragraphe (p. 27), formulez ces caractéristiques, thématiques et esthétiques.
2. Quelle est la valeur commune du conditionnel dans les expressions suivantes : « je dirais alors » (l. 11) ; « je pourrais leur dire » (l. 29) ; « je pourrais dire bien des choses aux miens » (l. 60) ? Qu'en concluez-vous sur l'importance de la parole dans la nouvelle ?
3. « Je dirais le chômeur en fin de droits. Le sans-logis. Le mendiant » (l. 49-50). Quelle est la valeur de l'article défini ici ? Que peut-on en déduire sur la portée de ce que raconte le personnage ?
4. Dans une pièce tragique, le dilemme désigne l'obligation de choisir entre les deux termes, aussi insatisfaisants l'un que l'autre, d'une alternative. Quel est le dilemme vécu par le personnage de ce récit ?
5. Étudiez comment le personnage perçoit la France et le Cameroun. Ces jugements s'opposent-ils ? Qu'en concluez-vous ?
6. Expliquez l'expression « le tour de France de l'effacement » (l. 129-130).
7. La fin de la nouvelle est une réécriture du premier paragraphe. Quel est l'effet recherché ?

Argumentation

De façon argumentée, formulez la portée critique de la nouvelle.

Invention

Le jeune homme imagine ses retrouvailles avec sa mère au Cameroun. Rédigez cette scène.

« Fabrique de nos âmes insurgées »

Questions

1. La nouvelle emploie le terme « idée » avec un sens particulier dès le premier paragraphe (l. 17). Quel est ce sens ?
2. Le récit évoque les « failles » du « *nous* originel » (l. 224). Quelle vision de la solitude de l'enfant se dessine ici ?
3. Montrez comment le discours moral de la mère d'Adrien et le discours du groupe de garçons qu'il fréquente le soir s'opposent. Qui est dans le *vrai*, d'après la nouvelle ?
4. Les enjeux majeurs de la nouvelle se trouvent résumés dans le huitième paragraphe (de « Il est dix heures » à « il ne lui trouve pas la moindre saveur », l. 240-272) : tentez de les reformuler en les explicitant.
5. Pourquoi est-il symbolique que la mère d'Adrien soit diplômée en lettres ?
6. « Adrien n'a que neuf ans. Pour le moment » (l. 321). Commentez la dernière phrase de la nouvelle. Que laisse-t-elle entendre de façon implicite ? Quelle tonalité finale donne-t-elle au texte ?

Argumentation

De quelle façon l'auteure critique-t-elle l'emprise de l'argent dans le monde contemporain ? Votre réponse sera argumentée et justifiée à l'aide de citations du texte.

Commentaire

Rédigez un commentaire composé de la nouvelle en vous appuyant sur son enjeu majeur : l'enfermement social et psychologique vécu par les exclus.

« Filles du bord de ligne »

Questions

1. Une rue est un espace public, de passage, qui s'oppose traditionnellement à l'espace privé et intime du logement ou de la maison. Que représente la rue pour les jeunes filles de la nouvelle ?
2. Dans quelle mesure peut-on dire qu'elles ont une « vie entassée », pour reprendre l'expression de Christian Bobin (voir l'extrait d'*Une petite robe de fête*, p. 103) ?
3. Expliquez la portée critique de la formule suivante : « sans autre morale que le *bling bling* » (l. 42).
4. Que représente la danse pour ces jeunes filles ? Leur goût pour la musique r'n'b et ses stars est-il un élément de libération ou d'aliénation ?
5. Comment la nouvelle explique-t-elle la violence dont les jeunes filles font preuve ?
6. Pourquoi la famille n'est-elle pas une aide ou un appui dans leur vie ?
7. En quoi consiste le rêve qu'elles osent dans le dernier paragraphe (l. 130-142) ?

Commentaire

Élaborez un plan détaillé de commentaire, après avoir exploré les pistes suivantes :
– les caractéristiques du portrait de groupe des « Filles du bord de ligne » ;
– l'environnement géographique, social, culturel et familial des personnages ;
– leur besoin de s'exprimer et d'affirmer leur identité (danse, provocations, violence) ;
– une identité mutilée (absence de reconnaissance sociale ; absence de recul critique face aux mirages du monde contemporain ; traumatisme intime de l'excision) ;
– le registre dominant de la douleur, ressentie, subie ou infligée.

« Afropean Soul »

Questions

1. Pourquoi est-il symbolique que le personnage du récit habite rue du Groupe-Manoukian ?

2. « Choisir son camp » est un appauvrissement, selon le texte (l. 22-23). Quelle est la portée de cette affirmation ?

3. Le jeune homme est téléopérateur. Qu'a-t-il appris sur lui-même et sur le monde à partir de cette expérience du monde du travail ?

4. Quelle place le personnage occupe-t-il selon lui dans l'« unité historique » « de la nation » (l. 130, 134) ?

5. Sur quels points précis la nouvelle critique-t-elle la politique conduite aujourd'hui en France ?

6. Quel reproche est adressé à l'école de la République dans la nouvelle ?

7. Comment est jugé l'engagement communautaire radical des meneurs de la manifestation ?

Argumentation

Qu'est-ce qui nuit à la dignité et à l'intégrité d'un être humain d'après « Afropean Soul » ?

Invention

Vous êtes journaliste ; écrivez l'article qui rend compte de la manifestation en hommage au petit garçon tué accidentellement. Votre point de vue moral et politique sur cette manifestation devra apparaître dans votre texte.

« 166, rue de C. »

1. Expliquez la présence du « vous » initial.
2. Qui est le narrateur de la nouvelle ? S'exprime-t-il uniquement en son nom ?
3. Que symbolise la « porte noire » du centre d'hébergement d'urgence ?
4. Expliquez cette phrase : « Nous n'avons pas su laisser le monde raboter nos aspérités » (l. 106-107).
5. Montrez que le parcours de Véronique est emblématique de celui de toutes les femmes qui ont connu le centre d'hébergement.
6. « C'est trop tard » (l. 445). Quelle tonalité finale la dernière phase donne-t-elle à la nouvelle ?
7. Formulez la portée morale du propos suivant : « nous nous devons, les uns les autres, la plus grande attention » (l. 69-70).

Recherche

Constituez un bref dossier documentaire consacré aux structures d'hébergement d'urgence en France. Essayez de varier vos sources d'information : presse écrite, reportage télévisé, documentation nationale ou locale concernant ces structures, interview de responsables politiques et des membres de ces centres, etc.

Commentaire

Dressez le portrait des figures féminines présentées par la narratrice en repérant les caractéristiques communes de leurs parcours.

Argumentation

De façon ordonnée et argumentée, expliquez en quoi consiste l'exclusion d'après la nouvelle. Dites ensuite ce que vous en pensez.

Entretien avec Léonora Miano

1. Pourquoi écrivez-vous ?

La réponse à cette question a pu varier, selon les époques. Cependant, je crois qu'il y a longtemps que j'écris pour les mêmes raisons. D'abord, j'aime ça, et ça me fait un bien fou. Ensuite, c'est le meilleur moyen pour une personne aussi sauvage et solitaire que moi d'être en contact avec les autres. Pour vous répondre de manière plus précise et plus profonde, j'écris pour comprendre ce que c'est d'être humain.

2. Le texte de votre deuxième roman, *Contours du jour qui vient*, est précédé de la dédicace : « Pour cette génération ». À qui dédiez-vous les cinq nouvelles publiées ici ?

Au plus grand nombre, à tous ceux qui ont le désir de connaître l'autre. Celui qu'on voit passer dans la rue sans savoir qui il est vraiment.

3. Comment est né le projet d'écrire les récits qui composent notre recueil, *Afropean Soul et autres nouvelles* ?

Cela fait maintenant de longues années que je souhaite présenter une série de textes courts qui seraient des instantanés, des tranches de vie puisées dans ce que personne n'ose encore appeler la France noire. Il y a des Noirs en France. La littérature de ce pays n'en parle pas vraiment, alors que les montrer c'est les rapprocher des autres. Je crois que nous en avons besoin, surtout en ce moment.

4. En quoi l'écriture de la nouvelle diffère-t-elle de celle du roman ?

Pour moi, il s'agit d'un exercice très difficile, que j'apprends encore à maîtriser. Le roman me permet d'aller plus au fond des choses, de bâtir un projet esthétique plus complexe. Tous les auteurs ne souhaitent pas faire la même chose, mais j'aimerais que mes nouvelles soient des photographies d'un moment, plus que de longs questionnements comme le sont mes romans. Les nouvelles portent, le plus souvent, sur une situation donnée, et ne se focalisent que sur un nombre restreint de personnages, quand les romans travaillent sur une sorte d'effet de foule pour embrasser un pays entier, un peuple dans sa globalité. Du point de vue stylistique, la longueur du texte ne joue pas. Ce qui compte le plus c'est l'atmosphère que je cherche à créer. Il me semble que mon écriture reste reconnaissable.

5. On reproche souvent à la littérature française contemporaine d'être trop intimiste, d'oublier d'« étreindre » « la réalité rugueuse », selon le mot de Rimbaud[1] : qu'en pensez-vous ?

Je crois qu'on se trompe de débat. D'abord, la littérature française n'est pas uniquement celle qui est le plus largement promue. Bien des auteurs contemporains sont très en prise avec le monde. Dans la littérature policière, mais pas uniquement. Ensuite, il me semble que l'intime rejoint forcément l'universel. Rien ne ressemble autant à un nombril qu'un autre nombril… Ce qui compte, c'est la manière dont on raconte les histoires. À partir du moment où elles mettent en présence des figures humaines, elles parlent d'humanité.

6. Acceptez-vous que l'on dise de vous que vous êtes une auteure engagée ?

J'accepte qu'on dise ce qu'on veut, si on me laisse travailler à ma convenance. Il me semble prétentieux de faire des déclarations à ce propos, quand on n'a publié que trois romans. Par ailleurs, il nous faut rester modestes. Quel que soit notre «engagement», je ne connais pas d'exemple de texte littéraire qui ait eu un impact fort sur le réel. Les romans ne peuvent faire la différence que pour quelques individus. Ils sont impuissants à empêcher la guerre ou la course effrénée vers la croissance économique… Les questions sociales et politiques de mon temps m'intéressent, mais je ne crois pas que les écrivains doivent tous y accorder la même importance. Ils peuvent écrire d'autres histoires, celles qui leur viennent, tout simplement. Si un auteur français contemporain décide d'écrire un roman intimiste, de ne jamais aborder la question sociale, sa manière d'éluder ce sujet reste, en quelque sorte, un traitement de la question. Le social sera traité *in absentia*, ce qui peut se révéler très parlant. Les textes se

1. *Une saison en enfer*, «Adieu».

lisent aussi entre les lignes. Tout roman est une construction. Les éléments choisis pour l'élaborer renseignent beaucoup sur les visées de l'auteur, sur ce qu'il est profondément. On n'a pas besoin de l'interroger, il suffit de le lire.

7. Au cœur de quelles influences vos récits – romans ou nouvelles – naissent-ils ?

J'ignore comment répondre à cette question. Je suis un auteur d'expression française, mais de culture africaine et afro-américaine, les Caribéens étant eux aussi des Américains. J'écris dans l'écho de toutes les cultures qui me composent. Le jazz et la soul m'influencent beaucoup, dans la structuration des textes ou dans le rythme. Pour comprendre cela, il faut s'intéresser à ces genres musicaux. Cela me semble complexe à expliquer ici, et je rechigne un peu à décrire mon processus créateur : ce n'est pas un travail scientifique, et je ne suis pas un être cartésien…

La *soul* est un art vocal. Il n'y a pas de soul instrumentale. C'est une esthétique brute et excessive. Je cherche à m'en rapprocher par un phrasé particulier, qui demande souvent une ponctuation peu orthodoxe. Je suis en quête d'un souffle soul, plein d'aspérités, porteur de vérité parce que distant d'une esthétique trop léchée. Dans la cadence des phrases, j'aime à me rapprocher d'une rythmique lourde, qui serait, en musique, celle des fréquences basses sur lesquelles la *soul* et les musiques noires urbaines reposent. Le jazz est une musique urbaine.

Ce qui m'intéressent dans le jazz, c'est la circularité (la structure basique, dans ce genre, est : AABA), la répétition de motifs, le maintien d'une tension sans nécessaire résolution (même si cela ne s'applique pas à tous les thèmes de jazz qui peuvent avoir une vraie fin), la présence d'un intertexte [1] précis, comme ces musiciens de jazz qui glissent, en jouant un morceau, des phrases musicales tirées d'autres chansons. Comme eux, je travaille sur une structure définie à l'avance, qui me permet d'improviser sans m'écarter de l'histoire. En jazz, c'est sur une grille d'accords que l'improvisation se fait.

---

1. *Intertexte* : présence dans un texte d'un ou de plusieurs autres textes, sur le mode de la citation, de la référence ou de l'allusion.

La langue française, telle que je l'écris, est mâtinée d'africanismes, d'anglicismes, de créolismes. Tout cela compose mon univers. Il ne s'agit pas seulement d'emprunts lexicaux, mais aussi d'images propres aux cultures africaines et créoles. Les anglicismes sont, le plus souvent, des transpositions directes, des traductions littérales, qui donnent des choses qui «ne se disent pas» en français. Par exemple, cela ne me dérange pas du tout d'écrire «réaliser» au lieu de «se rendre compte de», ou «prendre la haute main» au lieu de «prendre le dessus.» L'anglais *realize* n'est pas synonyme de «mettre en œuvre», mais bien de «se rendre compte de». Quant à *gain the upper hand*, il se traduit par «prendre le dessus».

Le Cameroun d'où je suis originaire a deux langues officielles, le français et l'anglais. Même dans la partie francophone du pays, où je suis née, on parle un *pidgin english* et un *franglais* bien connus de ceux qui ont visité le Cameroun. Pour moi, il est donc normal d'imbriquer ces langues l'une dans l'autre.

8. Pourriez-vous proposer quelques titres de livres susceptibles, selon vous, de donner le goût de lire à un(e) adolescent(e)?

Opération périlleuse... dans la mesure où les adolescents n'ont pas tous la même sensibilité. Voici quatre textes que j'ai pris plaisir à lire dans ma jeunesse :

Ségou, de Maryse Condé (surtout le premier volume).

Les Mémoires de Zeus, de Maurice Druon.

Le Spectre des Canterville, d'Oscar Wilde.

Une rose pour Emily (et autres nouvelles), de William Faulkner.

9. Une opposition symbolique forte entre ombre et lumière parcourt votre trilogie romanesque composée de *L'Intérieur de la nuit*, *Les Aubes écarlates* et *Contours du jour qui vient*, ainsi que votre dernier roman, *Tels des astres éteints* : quelles sont selon vous les ombres qui menacent l'humanité aujourd'hui? Où trouver de quoi vaincre les ténèbres?

L'ombre qui nous menace et qui se décline sous diverses formes est notre incapacité à considérer l'humanité comme une et indivisible. Nous refusons de nous reconnaître les uns dans les autres. D'où les nationalismes, le terrorisme, les fondamentalismes, tous ces processus fascinants que nous ne cessons de légitimer. Je n'ai pas la réponse, pour vaincre les ténèbres. Ce dont je suis certaine, c'est que le Mal n'existe que pour être combattu. Refuser de se soumettre peut être un bon début.

À quoi sert la littérature aujourd'hui ?

« Nous autres, civilisations, nous savons maintenant que nous sommes mortelles. Nous avions entendu parler de mondes disparus tout entiers, d'empires coulés à pic avec tous leurs hommes et tous leurs engins ; descendus au fond inexplorable des siècles avec leurs dieux et leurs lois [...]. Il n'a pas suffi à notre génération d'apprendre par sa propre expérience comment les plus belles choses et les plus antiques, et les plus formidables et les mieux ordonnées sont périssables par accident [...]. Nous avons vu, de nos yeux vu, le travail consciencieux, l'instruction la plus solide, la discipline et l'application les plus sérieuses adaptés à d'épouvantables desseins. Tant d'horreurs n'auraient pas été possibles sans tant de vertus. Il a fallu, sans doute, beaucoup de science pour tuer tant d'hommes, dissiper tant de biens, anéantir tant de villes en si peu de temps ; mais il a fallu non moins de qualités morales.
« Savoir et devoir, vous êtes donc suspects ? »

Paul Valéry, *Variétés I*, © Gallimard, 1924.

Ce texte très connu du poète Paul Valéry, extrait de « La Crise de l'esprit », in *Variétés I*, exprime avec lucidité et effarement la crise morale qui s'empare de l'Europe après le premier conflit mondial. Plus encore que la capacité de l'homme à menacer sa propre survie, c'est ici la faillite de l'humanisme qui est soulignée. Certes, la science et les progrès technologiques qu'elle permet ont servi à la

mise au point d'armes destructrices, mais, plus grave encore, toutes les valeurs morales élaborées et transmises depuis des siècles n'ont pu empêcher que la folie meurtrière s'empare d'un continent puis du reste du monde.
Oublié l'héritage de la morale antique et chrétienne ; mis en faillite surtout le fondement de la pensée humaniste, née pendant la Renaissance, selon lequel l'instruction du plus grand nombre devait inéluctablement faire reculer les préjugés, le fanatisme et l'intolérance ; en une formule : rendre l'Homme meilleur en le faisant savant. L'Europe, souvent si fière de la grandeur de sa littérature, de sa philosophie, est entrée, dit le poète à la fin de l'extrait, dans une ère de suspicion. Quels sont l'utilité et le sens d'une éducation humaniste qui ne fait pas reculer la sauvagerie ? Les textes d'Érasme, de Montaigne, de Voltaire, de Hugo semblent frappés d'inanité devant l'ampleur de la violence de la Première Guerre mondiale.
Une vingtaine d'années plus tard, la Seconde Guerre mondiale ne fera qu'aggraver ce sentiment de faillite : les morts par millions, les camps de déportation et d'extermination, conçus comme un projet d'anéantissement systématique de l'humanité, les bombes nucléaires lâchées sur Hiroshima et Nagasaki en août 1945 laissent l'Europe et le monde moralement anéantis.
L'absurde s'impose comme valeur dans la littérature et la pensée de l'immédiat après-guerre : le monde semble avoir perdu son sens. Le théâtre des années 1950, chez Ionesco et Beckett notamment, met en scène un homme égaré, pantin ridicule et mécanique, incapable d'échanger avec autrui, sans parcours à accomplir, dans un univers sans sens ni justification, où nulle fraternité, nulle explication ou consolation ne viennent jamais apaiser l'angoisse.
Après 1945, il devient donc difficile de faire l'économie de la question du sens de la culture et de la littérature : « Auschwitz a prouvé de façon irréfutable l'échec de la culture », écrit en 1966 le philosophe allemand Theodor W. Adorno, dans son ouvrage *Dialectique négative*.
Les quatre extraits qui suivent, écrits entre 1944 et 2006, posent cette question de l'utilité de la littérature et y répondent chacun de façon spécifique.

Vercors, *Le Silence de la mer* (1942)

Vercors, de son vrai nom Jean Bruller (1902-1991), s'engage tôt dans la Résistance et adopte comme nom de guerre celui de la région où son groupe opère. Il fonde les Éditions de Minuit, qui publient des textes clandestinement ; le premier titre de la collection est son recueil de nouvelles intitulé *Le Silence de la mer*, paru en 1942. Diffuser des textes clandestinement, en pleine occupation allemande, est un acte dangereux mais révélateur de la valeur accordée à ce qui est publié. Une nouvelle pourtant, rédigée en juillet 1944 et ajoutée lors d'une édition postérieure du recueil, s'intitule « L'Impuissance ». Faisant état du récent massacre d'Oradour-sur-Glane [1] et rédigé à un moment où l'étendue des atrocités de la déportation est de mieux en mieux évaluée, le texte, au titre explicite, exprime avec désespoir et douleur l'inutilité de la littérature face à la violence la plus grande.
Renaud, l'ami du narrateur, s'apprête à détruire par le feu les livres de sa bibliothèque qu'il vient de rassembler dans son jardin après qu'il a appris la mort en déportation de Bernard Meyer, un de leurs anciens camarades de lycée.

« L'Impuissance »

« Mais regarde-les [2], cria-t-il, et salue-les donc, et bave-leur donc ton admiration et ta reconnaissance ! À cause de ce qu'ils te font penser de toi-même. Puisque te voici, grâce à eux, un homme si content de soi ! Si content d'être un homme ! Si content d'être une créature tellement précieuse et estimable ! Oh ! oui : remplie de sentiments poétiques et d'idées morales et d'aspirations mystiques et tout ce qui

---

1. Massacre survenu le 10 juin 1944 à Oradour-sur-Glane, un petit village du Limousin. Le bourg est encerclé par les Allemands, les habitants sont rassemblés sur le Champ de foire tandis que les SS fouillent les maisons à la recherche d'armes. Bientôt les femmes et les enfants sont conduits dans l'église du village et les hommes dans les remises et les granges. Les SS mettent le feu aux bâtiments ; les villageois meurent brûlés.
2. Les livres.

s'ensuit. Nom de Dieu, et des types comme toi et moi nous lisons ça et nous nous délectons et nous disons : "Nous sommes des individus tout à fait sensibles et intelligents." Et nous nous faisons mutuellement des courbettes et nous admirons réciproquement chacun de nos jolis cheveux coupés en quatre et nous nous passons la rhubarbe et le séné[1]. Et tout ça qu'est-ce que c'est ? Rien qu'une chiennerie[2], une chiennerie à vomir ! Ce qu'il est, l'homme ? La plus salope des créatures ! La plus vile et la plus sournoise et la plus cruelle ! Le tigre, le crocodile ? Mais ce sont des anges à côté de nous ! Et ils ne jouent pas de plus au petit saint, au grave penseur, au philosophe, au poète ! Et tu voudrais que je garde tout ça sur mes rayons ? Pour quoi faire ? Pour, le soir, converser élégamment avec Monsieur Stendhal, comme jadis, avec Monsieur Baudelaire, avec Messieurs Gide et Valéry, pendant qu'on rôtit tout vifs des femmes et des gosses dans une église ? Pendant qu'on massacre et qu'on assassine sur toute la surface de la terre ? Pendant qu'on décapite des femmes à la hache ? Pendant qu'on entasse les gens dans des chambres délibérément construites pour les asphyxier ? Pendant qu'un peu partout des pendus se balancent aux arbres, aux sons de la radio qui donne peut-être bien du Mozart ? Pendant qu'on brûle les pieds et les mains des gens pour leur faire livrer les copains ? Pendant qu'on fait mourir à la peine, qu'on tue sous les coups, qu'on fait crever de labeur, de faim et de froid mon doux, mon bon, mon délicieux Bernard Meyer ? Et que nous sommes entourés de gens (des gens très bien, n'est-ce pas, cultivés et tout) dont pas un ne risquerait un doigt pour empêcher ces actes horribles, qu'ils veulent lâchement ignorer, ou dont ils se fichent, que quelques-uns même approuvent et dont ils se réjouissent ? Et tu demandes "quelle folie encore… ?" Nom de Dieu, qui de nous est fou ? Dis, dis, où est la folie ? Oseras-tu prétendre que tout ce fatras que voilà est mieux qu'une tartuferie[3], tant que l'homme est

---

1. ***Nous nous passons la rhubarbe et le séné*** : nous nous adressons mutuellement des félicitations (expression familière et vieillie).

2. ***Chiennerie*** : chose immonde (terme insultant).

3. ***Tartuferie*** : hypocrisie (du nom du personnage de la pièce de Molière, Tartuffe, figure de l'hypocrite).

ce qu'il est ? Un sale soporifique[1], propre à nous endormir dans une satisfaction béate ? Saloperies ! s'écria-t-il d'une voix si aiguë qu'elle s'enroua de colère. Je n'en lirai plus une ligne ! Plus une, jusqu'à ce que l'homme ait changé, mais d'ici là, plus une ligne, tu m'entends ? Plus une, plus une, plus une ! »

Le Silence de la mer,
© Albin Michel, 1951.

La fin de la nouvelle vient nuancer le réquisitoire sans appel prononcé ici par Renaud. Le narrateur, dont on sent bien qu'il se fait porte-parole de l'auteur, dit :

Mais depuis j'ai perdu moi aussi la joie de la lecture. Pensé-je comme Renaud ? Non pas, tout au contraire ! L'art seul m'empêche de désespérer. L'art donne tort à Renaud. Nous le voyons bien que l'homme est décidément une assez sale bête. Heureusement l'art, la pensée désintéressée le rachètent.

Ibid.

1. Après avoir lu l'extrait, précisez en quoi consiste « l'impuissance » de la littérature.

2. Quels sont les reproches adressés par Renaud aux gens de lettres ?

3. « Un sale soporifique » : quel est le sens de cette expression, très critique, désignant ici l'effet de la littérature ?

4. En vous aidant de la présentation de ce groupement de textes et en tenant compte de la date de rédaction de la nouvelle (juillet 1944), expliquez comment ce passage décrit l'effondrement de l'idéal humaniste, fondé sur la transmission des savoirs et des valeurs qu'ils sont censés apporter.

---

1. ***Soporifique*** : se dit d'une substance qui provoque le sommeil (terme vieilli).

Primo Levi, *Si c'est un homme* (1947)

Né à Turin dans une famille juive, Primo Levi (1919-1991), chimiste de formation, s'engage dans un groupe de résistants peu aguerris après la chute de Mussolini et l'entrée des nazis en Italie. Il est arrêté en décembre 1943 et déporté à Auschwitz en février 1944. Il réussit à survivre jusqu'à la libération du camp par l'armée russe, le 27 janvier 1945. Moins d'un an après, il entreprend la rédaction de son expérience du camp. Le titre de l'œuvre, *Si c'est un homme*, est une question posée à chaque lecteur, sommé de se demander si celui qui a vécu la déshumanisation des camps peut encore être considéré comme un être humain.
Le chapitre 11, « Le chant d'Ulysse », semble répondre à Renaud, le personnage de « L'Impuissance » de Vercors (voir *supra*). Au cœur de la barbarie, là où la « folie géométrique » du camp travaille à l'anéantissement de l'humanité en chacun des détenus, Primo Levi donne un premier cours d'italien à l'un des membres de son groupe de travail. C'est la poésie de Dante qui est évoquée dans l'extrait et dans le titre du chapitre – *La Divine Comédie* étant divisée en cent chants. Dans les vers cités, Ulysse, aux Enfers, raconte le naufrage de son navire. Tout est paradoxal dans ce passage : la présence inattendue, incongrue, voire impensable, de la poésie au cœur du *Lager*[1] ; l'insistance avec laquelle Primo Levi cherche à faire comprendre la portée du texte de Dante à son compagnon alors que la survie du groupe dépend de la soupe qu'ils sont allés chercher.

« Le chant d'Ulysse »

Je donnerais ma soupe d'aujourd'hui pour pouvoir trouver la jonction entre *« non ne avevo alcuna*[2] *»* et la fin. Je m'efforce de reconstruire le tout en m'aidant de la rime, je ferme les yeux, je me mords les doigts : peine perdue, le reste est silence. D'autres vers me traversent l'esprit : *« … la terra lagrimosa diede vento…*[3] *»*, non, c'est autre chose. Il est tard, il est tard, nous voilà aux cuisines, il faut conclure :

1. ***Lager*** : « camp », en allemand.
2. « Je n'en avais aucune. »
3. « De la terre des pleurs un grand vent s'éleva… »

Tre volte il fe' girar con tutte l'acque,
Alla quarta levar la poppa in suso
E la prora ire in giú, come altrui piacque…[1].

Je retiens Pikolo[2] : il est absolument nécessaire et urgent qu'il écoute, qu'il comprenne ce «*come altrui piacque*[3]» avant qu'il ne soit trop tard ; demain lui ou moi nous pouvons être morts, ou ne plus jamais nous revoir ; il faut que je lui dise, que je lui parle du Moyen Âge, de cet anachronisme si humain, si nécessaire et pourtant si inattendu, et d'autre chose encore, de quelque chose de gigantesque que je viens d'entrevoir à l'instant seulement, en une fulgurante intuition, et qui contient peut-être l'explication de notre destin, de notre présence ici aujourd'hui…

Nous voilà maintenant en train de faire la queue pour la soupe, mêlés à la foule sordide et déguenillée des porte-soupe des autres Kommandos[4]. Les derniers arrivés se bousculent derrière nous.

Kraut und Rüben?
Kraut und Rüben.

C'est l'annonce officielle que nous aurons aujourd'hui de la soupe aux choux et aux navets :

Cavoli e rape.
Kaposzta és répak.

«*Infin che l'mar fu sopra noi rinchiuso*[5].»

Si c'est un homme, © Julliard, 1947.

---

1. «Par trois fois dans sa masse elle la fit tourner :/Mais à la quarte fois, la poupe se dressa./Et l'avant s'abîma, comme il plut à quelqu'un…»
2. Dans chaque groupe de travail du camp, le terme «Pikolo» désigne le détenu, souvent le plus jeune, chargé d'entretenir la baraque où vivent ses codétenus, d'assurer la distribution des outils et de la soupe auprès du groupe. C'est aussi le surnom donné par Primo Levi à Jean Samuel, détenu avec lui au camp d'Auschwitz.
3. «comme il plut à quelqu'un».
4. ***Kommandos*** : groupes de travail.
5. «Jusqu'à tant que la mer fût sur nous refermée.»

1. En quoi consiste la « fulgurante intuition » évoquée dans le troisième paragraphe ?

2. Pourquoi Primo Levi tient-il à ce que Jean Samuel, le Pikolo, comprenne le sens de « *come altrui piacque* » ?

3. La poésie de Dante est anachronique dans le contexte, mais ce décalage historique devient « nécessaire » en la circonstance, selon Primo Levi. Expliquez son propos. Qu'en concluez-vous sur le pouvoir de la littérature ?

4. Comment expliquer qu'un cours de littérature italienne ait pu avoir lieu dans l'enfer d'Auschwitz ? Quels vous semblent en être les enjeux réels et symboliques ?

Christian Bobin, *Une petite robe de fête* (1991)

Romancier et poète, Christian Bobin (né en 1951) publie *Une petite robe de fête* en 1991. La préface qui introduit l'ouvrage évoque, dans l'extrait choisi, le sens de la lecture et de l'écriture. La question de l'utilité de la littérature, pour le lecteur et pour l'auteur, se pose toujours à la fin du XXe siècle.
Dans une langue qui fait appel à la valeur symbolique et évocatrice des images, Christian Bobin transforme un reproche fréquemment adressé à la littérature (sa capacité à nous faire fuir de la réalité, à être un divertissement[1], au sens philosophique du terme) en sa qualité majeure : elle offre à chacun la possibilité de prendre du recul par rapport à sa « vie entassée », le quotidien qui est si prenant qu'il devient difficile de le tenir à distance critique, de le comprendre.

Il y a bien des frontières entre les gens. L'argent, par exemple. Cette frontière-là, entre les lecteurs et les autres, est plus fermée encore que celle de l'argent. Celui qui est sans argent manque de tout. Celui qui est sans lecture manque du manque. La muraille entre les riches et les pauvres est visible. Elle peut se déplacer ou s'effondrer par endroits.

1. «Divertir» à pour origine étymologique le verbe latin *divertere*, qui signifie «tourner le dos», donc «ne pas vouloir affronter une situation ou un état de fait».

La muraille entre les lecteurs et les autres est bien plus enfoncée dans la terre, sous les visages. Il y a des riches qui ne touchent aucun livre. Il y a des pauvres qui sont mangés par la passion de lire. Où sont les pauvres, où sont les riches. Où sont les morts, où sont les vivants. C'est impossible à dire. Ceux qui ne lisent jamais forment un peuple taciturne[1]. Les objets leur tiennent lieu de mots : les voitures avec sièges en cuir quand il y a de l'argent, les bibelots sur les napperons quand il n'y en a pas. Dans la lecture on quitte sa vie, on l'échange contre l'esprit du songe, la flamme du vent. Une vie sans lecture est une vie que l'on ne quitte jamais, une vie entassée, étouffée de tout ce qu'elle retient comme dans ces histoires du journal, quand on force les portes d'une maison envahie jusqu'aux plafonds par les ordures. Il y a la main blanche de ceux qui ont pour eux l'argent. Il y a la main fine de ceux qui ont pour eux le songe. Et il y a tous ceux qui n'ont pas de main – privés d'or, privés d'encre. C'est pour ça qu'on écrit. Ce ne peut être que pour ça, et quand c'est pour autre chose c'est sans intérêt : pour aller des uns vers les autres. Pour en finir avec le morcellement du monde, pour en finir avec le système des castes[2] et enfin toucher aux intouchables[3]. Pour offrir un livre à ceux qui ne le liront jamais.

Une petite robe de fête, © Gallimard, 1991.

1. « Ceux qui ne lisent jamais forment un peuple taciturne. Les objets leur tiennent lieu de mots » : expliquez le propos de Christian Bobin. Quelle est donc la richesse à laquelle ont accès ceux qui lisent ?
2. Pourquoi est-il si important de « quitte[r] sa vie » en lisant, selon l'auteur ?
3. À partir de ce qui est dit des « castes » et des « intouchables », formulez la portée politique de l'extrait.
4. « Pour offrir un livre à ceux qui ne le liront jamais » : comment comprendre ce paradoxe final ?

---

1. ***Taciturne*** : qui parle peu.
2. En Inde, les *castes* désignent les classes sociales, très fermées.
3. ***Intouchables*** : en Inde, individus appartenant à la caste la plus basse de la société et considérés comme impurs (leur contact est perçu comme une souillure dans l'ancien système social hiérarchique) ; ici, le mot est employé au sens figuré.

Léonora Miano, *Contours du jour qui vient* (2006)

Contours du jour qui vient, le deuxième roman de Léonora Miano, s'est vu décerner le prix Goncourt des Lycéens en novembre 2006 (voir p. 118). L'histoire de la petite Musango[1], perdue dans une Afrique elle aussi sans repère, est à lire comme un récit initiatique, un roman d'apprentissage[2] : celle qui a été rejetée par sa mère finira, seule, par savoir qui elle est. Le passage qui suit, extrait du chapitre « Interlude : résilience[3] », montre comment, en l'absence de mots écrits, la jeune fille parvient, par la parole et en dessinant une figure symbolique d'elle-même, à se définir : se voir enfin pour savoir qui elle est, et qui elle est en train de devenir. C'est toute la force créatrice et libératrice du langage qui est ici soulignée.

Devant la grotte, je ramasse de petits cailloux blancs. Ils sont lisses. Les siècles les ont polis. Ils étaient peut-être déjà ici, au premier jour du monde. Je trouve un galet plat, gris et tranchant. L'intérieur de la grotte est sec. Il y règne une chaleur douce, et je pleure sans tristesse en dessinant au sol l'adieu à ma douleur. Si j'écrivais des livres, je ferais cela avec des mots. Je tracerais des adieux poétiques à la colère qui a si longuement tari mes larmes. Je jetterais sur le papier un suaire[4] syntaxique qui couvrirait une fois pour toutes la peine de n'avoir pas été aimée de ma mère. Mais je n'écris pas, même si j'ai des mots dans la tête. Je ne sais que le silence qui soupire ou qui hurle entre deux roulements de tam-tam. Je ne sais que l'épaisseur

---

1. Musango signifie « paix » en langue douala.

2. On parle de ***roman*** ou de ***récit d'apprentissage*** pour désigner une œuvre dans laquelle le personnage central, d'abord perdu dans un univers qu'il ne comprend pas et qui l'exclut, finit par déchiffrer cet univers et y trouver ainsi sa place.

3. Au sens propre, la ***résilience*** définit le degré de résistance aux chocs des matériaux ; au sens figuré, le mot désigne la capacité d'un individu à se construire et à vivre malgré des expériences traumatiques.

4. ***Suaire*** : drap dans lequel on ensevelit les morts ; ici, le mot est employé au sens figuré.

des formes qui ne doivent plus être des déguisements, des masques, mais la face révélée de nos drames intérieurs. Alors, je fabrique cette figure sur le sol pour lui confier tous mes jours privés de lumière. Ils passent, et je demeure. J'enlève ma soutane pour la laver dans le fleuve. La boue s'en va, et le sang de Vie Éternelle[1] aussi. Tout passe. Je me couche. Je n'ai pas faim. Le galet gris et tranchant forme un cercle sur la partie inférieure du visage de la figurine. On dirait qu'elle s'exclame d'émerveillement. Elle a les yeux fermés pour se voir en dedans, pour savoir qui elle est réellement, sans recourir aux oracles[2] des voyantes, aux murmures des ondins[3], aux prêches[4] des faux pasteurs.

Contours du jour qui vient, © Plon, 2006.

1. « Je tracerais des adieux poétiques à la colère » : en quoi la maîtrise des mots est-elle une force libératrice ?

2. Montrez comment la figure de cailloux tracée sur le sol vient compenser l'absence de mots pour Musango. Qu'en concluez-vous sur la force des images et des symboles ?

3. « Oracles », « murmures des ondins », « prêches des faux pasteurs » : qu'est-ce qui menace un individu dans la quête de son identité, d'après Léonora Miano ?

4. Précisez comment l'extrait illustre la notion de « résilience » présente dans le titre du chapitre.

---

1. ***Vie Éternelle*** : un des membres du réseau de proxénétisme qui retenait Musango captive.
2. ***Oracles*** : paroles ou volontes divines annoncées, révélées et transmises, ici par celles et ceux qui se prétendent prophètes.
3. ***Ondins*** : génies, divinités des eaux.
4. ***Prêches*** : discours religieux.

Questions de synthèse

1. À partir de la lecture des extraits de Primo Levi, de Christian Bobin et de Léonora Miano, peut-on parler « d'échec de la culture », pour reprendre la formule d'Adorno ?
2. La littérature peut-elle guérir les maux du monde ou les prévenir, selon les quatre auteurs ? Est-elle inutile cependant sur le plan individuel ?
3. À partir des textes de Primo Levi, de Christian Bobin et de Léonora Miano, pouvez-vous définir les traits d'un humanisme contemporain ?

La notion d'engagement

En son sens premier, l'engagement signifie l'« action de mettre en gage », c'est-à-dire le fait de déposer quelque chose auprès de quelqu'un à titre de garantie. En conséquence, se lier à quelqu'un par une promesse, une convention, un accord ; du sens juridique et économique du terme découle donc son sens moral.
À partir de 1945, un sens nouveau du terme est attesté par les dictionnaires et s'impose dans le paysage littéraire : « Acte ou attitude de l'intellectuel, de l'artiste qui, prenant conscience de son appartenance à la société et au monde de son temps, renonce à une position de simple spectateur et met sa pensée ou son art au service d'une cause. » La définition proposée par *Le Petit Robert* permet de comprendre que la notion d'engagement suscite controverses et mauvaises interprétations.
L'emploi de ce mot pour désigner et résumer ce que doit être la posture de l'écrivain face au monde s'explique par les conditions historiques de l'après-guerre, évoquées plus haut ; le culte de l'art pour l'art, de la recherche de la perfection esthétique pour elle-même, semble définitivement déconsidéré, voire moralement injustifiable. L'écrivain ne peut pas, pense-t-on alors, faire l'impasse d'un examen

critique de son temps ; il ne peut vouloir se tenir à distance des souffrances, des problèmes et du chaos du monde sans se déconsidérer.
Les figures intellectuelles françaises, proches des idéaux de la gauche, voire de l'extrême gauche à cette époque, sont rapidement accusées de prosélytisme politique : si l'écrivain doit se mettre « au service d'une cause », dit le dictionnaire, il sera d'un camp et rejettera de fait des prises de position différentes de la sienne. Cette approche, réductrice selon lui, agace Jean-Paul Sartre, figure majeure de l'intellectuel engagé dans l'opinion. Voici ce qu'il en dit dans la courte introduction de *Qu'est-ce que la littérature ?*, publié en 1948 : « "Si vous voulez vous engager, écrit un jeune imbécile, qu'attendez-vous pour vous inscrire au PC [1] ?" Un grand écrivain qui s'engagea souvent et se dégagea plus souvent encore, mais qui l'a oublié, me dit : "Les plus mauvais artistes sont les plus engagés : voyez les peintres soviétiques." [...] Que de sottises ! [...] »
Ce que Sartre refuse dans les reproches, caricaturaux selon lui, qu'on lui adresse, c'est de considérer que prendre en compte la réalité de son temps reviendrait pour un écrivain à choisir une chapelle, à lire le monde selon un dogme politique, le marxisme en l'occurrence. Il renoncerait ainsi à toute universalité en se faisant simple porte-parole d'une vision du monde préexistant à l'œuvre littéraire. Sartre n'ignore pas cependant que de nombreux écrivains se sont rangés sous la bannière du communisme soviétique au cours de la première moitié du XXe siècle, ou sous celle de la collaboration pendant l'occupation allemande, apportant leur soutien et leur caution morale à des régimes politiques dictatoriaux.
Tiré de *Situations II*, essai paru lui aussi en 1948, l'extrait qui suit détaille sa position : l'écrivain ne s'engage pas, il est engagé dans les tumultes de son temps et du monde qui l'entoure. La notion d'engagement retrouve, ainsi expliquée, une portée humaniste et universelle. Elle fait écho à la célèbre formule de l'auteur dramatique latin Térence : « Je suis Homme ; je considère que rien de ce qui est humain ne m'est étranger. »

---

1. *PC* : parti communiste français.

[«L'écrivain est en situation dans son époque»]

Tout écrit possède un sens, même si ce sens est très loin de celui que l'auteur avait rêvé d'y mettre. Pour nous, en effet, l'écrivain n'est ni Vestale[1], ni Ariel[2] : il est «dans le coup», quoi qu'il fasse, marqué, compromis, jusque dans sa plus lointaine retraite. [...] Puisque l'écrivain n'a aucun moyen de s'évader, nous voulons qu'il embrasse étroitement son époque; elle est sa chance unique, elle s'est faite pour lui et il est fait pour elle. On regrette l'indifférence de Balzac devant les journées de 48[3], l'incompréhension apeurée de Flaubert en face de la Commune[4]; on les regrette pour eux : il y a là quelque chose qu'ils ont manqué pour toujours. Nous ne voulons rien manquer de notre temps; peut-être en est-il de plus beaux, mais c'est le nôtre; nous n'avons que cette vie à vivre, au milieu de cette guerre, de cette révolution peut-être. Qu'on n'aille pas conclure de là que nous prêchions une sorte de populisme c'est tout le contraire. Le populisme est un enfant de vieux, le triste rejeton des derniers réalistes; c'est encore un essai pour tirer son épingle du jeu. Nous sommes convaincus, au contraire, qu'on ne peut pas tirer son épingle du jeu. Serions-nous muets et cois[5] comme des cailloux, notre passivité même serait une action. Celui qui consacrerait sa vie à faire des romans sur les Hittites[6], son abstention serait par elle-même une prise de position. L'écrivain est en situation dans son époque : chaque parole a des retentissements. Chaque silence aussi. Je tiens Flaubert et Goncourt pour responsables de la répression qui suivit la Commune parce qu'ils n'ont pas écrit une ligne pour l'empêcher. Ce n'était pas leur affaire, dira-t-on. Mais le procès de Calas, était-ce l'affaire de Voltaire? La condamnation de Dreyfus, était-ce l'affaire

---

1. ***Vestale*** : prêtresse de la religion romaine, chargée d'entretenir le feu sacré.
2. ***Ariel*** : génie des airs; personnage de *La Tempête* de William Shakespeare.
3. Les journées révolutionnaires de 1848 mirent fin à la monarchie de Juillet et au règne de Louis-Philippe pour instaurer la IIe République.
4. ***La Commune*** : révolte populaire parisienne qui se déroula de mars à mai 1871 et qui fut sévèrement réprimée.
5. ***Cois*** : silencieux.
6. ***Hittites*** : peuple indo-européen (XXe-XIIe siècles av. J.-C.).

de Zola ? L'administration du Congo, était-ce l'affaire de Gide[1] ? Chacun de ces auteurs, en une circonstance particulière de sa vie, a mesuré sa responsabilité d'écrivain. L'Occupation nous a appris la nôtre. Puisque nous agissons sur notre temps par notre existence même, nous décidons que cette action sera volontaire.

Situations II, © Gallimard, 1948.

1. Expliquez toute la richesse de la formule suivante : « on ne peut pas tirer son épingle du jeu ».

2. Un écrivain peut-il choisir l'« abstention » face à la réalité, selon Sartre ?

3 Comparez la thèse de Sartre à la réponse de Léonora Miano dans l'entretien (6. Acceptez-vous que l'on dise de vous que vous êtes une auteure engagée ?, p. 93).

4. À la lecture des nouvelles du récit, diriez-vous que Léonora Miano est une auteure engagée ? Votre réponse sera argumentée, construite, et tiendra compte de la complexité de la notion d'engagement.

5. Sartre évoque la responsabilité des écrivains en temps de crise, notamment l'occupation allemande pendant la Seconde Guerre mondiale. Faites une courte recherche à ce sujet pour connaître les comportements des écrivains, des penseurs et des intellectuels durant cette période trouble.

---

1. Le romancier André Gide est l'auteur de *Voyage au Congo* (1927), une critique sévère du colonialisme.

« Pour une “littérature-monde” en français »

« Pour une “littérature-monde” en français » est le titre d'un manifeste [1] publié dans *Le Monde des livres* du vendredi 16 mars 2007 par Jean Rouaud et Michel Le Bris. Il est signé par quarante-quatre écrivains et affirme l'émergence d'une « littérature-monde » en français, « libérée de son pacte exclusif avec la nation », c'est-à-dire capable d'accueillir en son sein la littérature de langue française venue du monde entier, en refusant de la classer ou de la juger selon une norme esthétique imposée par la France.
Cet article, comme tout manifeste, rassemble et unit des signataires qui prennent parti autour de valeurs communes. Placé à la suite du texte de Sartre sur l'engagement, il invite à s'interroger sur le sens actuel de cette notion : est-il nécessaire de défendre une « littérature-monde » au moment où les prix littéraires français la reconnaissent ? La défense de la pluralité de la littérature de langue française passe-t-elle nécessairement par un engagement collectif ? Celui-ci est-il au contraire le seul moyen de faire entendre une conception de la littérature qui resterait ignorée sans cela ?

Plus tard, on dira peut-être que ce fut un moment historique : le Goncourt, le Grand Prix du roman de l'Académie française, le Renaudot, le Femina, le Goncourt des Lycéens, décernés le même automne à des écrivains d'outre-France. Simple hasard d'une rentrée éditoriale concentrant par exception les talents venus de la « périphérie », simple détour vagabond avant que le fleuve revienne dans son lit ? Nous pensons, au contraire : révolution copernicienne.

1. ***Manifeste*** : déclaration écrite et publique par laquelle un groupe ou un individu expose un programme, politique, philosophique, artistique ou littéraire, en justifiant les positions qui y sont prises. Les manifestes sont souvent l'acte fondateur de mouvements littéraires.

Copernicienne, parce qu'elle révèle ce que le milieu littéraire savait déjà sans l'admettre : le centre, ce point depuis lequel était supposée rayonner une littérature franco-française, n'est plus le centre. Le centre jusqu'ici, même si de moins en moins, avait eu cette capacité d'absorption qui contraignait les auteurs venus d'ailleurs à se dépouiller de leurs bagages avant de se fondre dans le creuset de la langue et de son histoire nationale : le centre, nous disent les prix d'automne, est désormais partout, aux quatre coins du monde. Fin de la francophonie. Et naissance d'une littérature-monde en français.

Le monde revient. Et c'est la meilleure des nouvelles. N'aura-t-il pas été longtemps le grand absent de la littérature française ? Le monde, le sujet, le sens, l'histoire, le « référent » : pendant des décennies, ils auront été mis « entre parenthèses » par les maîtres penseurs, inventeurs d'une littérature sans autre objet qu'elle-même, faisant, comme il se disait alors, « sa propre critique dans le mouvement même de son énonciation ». Le roman était une affaire trop sérieuse pour être confiée aux seuls romanciers, coupables d'un « usage naïf de la langue », lesquels étaient priés doctement de se recycler en linguistique. Ces textes ne renvoyant plus dès lors qu'à d'autres textes dans un jeu de combinaisons sans fin, le temps pouvait venir où l'auteur lui-même se trouvait de fait, et avec lui l'idée même de création, évacué pour laisser toute la place aux commentateurs, aux exégètes. Plutôt que de se frotter au monde pour en capter le souffle, les énergies vitales, le roman, en somme, n'avait plus qu'à se regarder écrire.

Que les écrivains aient pu survivre dans pareille atmosphère intellectuelle est de nature à nous rendre optimistes sur les capacités de résistance du roman à tout ce qui prétend le nier ou l'asservir...

Ce désir nouveau de retrouver les voies du monde, ce retour aux puissances d'incandescence de la littérature, cette urgence ressentie d'une « littérature-monde », nous les pouvons dater : ils sont concomitants de l'effondrement des grandes idéologies sous les coups de boutoir, précisément... du sujet, du sens, de l'Histoire, faisant retour sur la scène du monde – entendez : de l'effervescence des mouvements antitotalitaires, à l'Ouest comme à l'Est, qui bientôt allaient effondrer le mur de Berlin.

Un retour, il faut le reconnaître, par des voies de traverse, des sentiers vagabonds – et c'est dire du même coup de quel poids était l'interdit ! Comme si, les chaînes tombées, il fallait à chacun réapprendre à marcher. Avec d'abord l'envie de goûter à la poussière des routes, au frisson du dehors, au regard croisé d'inconnus. Les récits de ces étonnants voyageurs[1], apparus au milieu des années 1970, auront été les somptueux portails d'entrée du monde dans la fiction. D'autres, soucieux de dire le monde où ils vivaient, comme jadis Raymond Chandler ou Dashiell Hammett avaient dit la ville américaine, se tournaient, à la suite de Jean-Patrick Manchette, vers le roman noir. D'autres encore recouraient au pastiche du roman populaire, du roman policier, du roman d'aventures, manière habile ou prudente de retrouver le récit tout en rusant avec « l'interdit du roman ». D'autres encore, raconteurs d'histoires, investissaient la bande dessinée, en compagnie d'Hugo Pratt, de Moebius et de quelques autres. Et les regards se tournaient de nouveau vers les littératures « francophones », particulièrement caribéennes, comme si, loin des modèles français sclérosés, s'affirmait là-bas, héritière de Saint-John Perse et de Césaire, une effervescence romanesque et poétique dont le secret, ailleurs, semblait avoir été perdu. Et ce, malgré les œillères d'un milieu littéraire qui affectait de n'en attendre que quelques piments nouveaux, mots anciens ou créoles, si pittoresques n'est-ce pas, propres à raviver un brouet[2] devenu par trop fade. 1976-1977 : les voies détournées d'un retour à la fiction.

Dans le même temps, un vent nouveau se levait outre-Manche, qui imposait l'évidence d'une littérature nouvelle en langue anglaise, singulièrement accordée au monde en train de naître. Dans une Angleterre rendue à sa troisième génération de romans woolfiens[3] – c'est dire si l'air qui y circulait se faisait impalpable –, de jeunes

---

1. L'expression « étonnants voyageurs » fait référence au festival malouin du même nom, créé en 1990 par Michel Le Bris, promouvant une littérature ouverte sur le monde.

2. ***Brouet*** : bouillon, potage.

3. ***Woolfiens*** : adjectif formé sur le nom de la romancière anglaise Virginia Woolf (1882-1941).

trublions se tournaient vers le vaste monde, pour y respirer un peu plus large. Bruce Chatwin partait pour la Patagonie, et son récit prenait des allures de manifeste pour une génération de *travel writers* («J'applique au réel les techniques de narration du roman, pour restituer la dimension romanesque du réel»). Puis s'affirmaient, en un impressionnant tohu-bohu, des romans bruyants, colorés, métissés, qui disaient, avec une force rare et des mots nouveaux, la rumeur de ces métropoles exponentielles où se heurtaient, se brassaient, se mêlaient les cultures de tous les continents. Au cœur de cette effervescence, Kazuo Ishiguro, Ben Okri, Hanif Kureishi, Michael Ondaatje – et Salman Rushdie, qui explorait avec acuité le surgissement de ce qu'il appelait les «hommes traduits» : ceux-là, nés en Angleterre, ne vivaient plus dans la nostalgie d'un pays d'origine à jamais perdu, mais, s'éprouvant entre deux mondes, entre deux chaises, tentaient vaille que vaille de faire de ce télescopage l'ébauche d'un monde nouveau. Et c'était bien la première fois qu'une génération d'écrivains issus de l'émigration, au lieu de se couler dans sa culture d'adoption, entendait faire œuvre à partir du constat de son identité plurielle, dans le territoire ambigu et mouvant de ce frottement. En cela, soulignait Carlos Fuentes[1], ils étaient moins les produits de la décolonisation que les annonciateurs du XXIe siècle.

Combien d'écrivains de langue française, pris eux aussi entre deux ou plusieurs cultures, se sont interrogés alors sur cette étrange disparité qui les reléguait sur les marges, eux «francophones», variante exotique tout juste tolérée, tandis que les enfants de l'ex-Empire britannique prenaient, en toute légitimité, possession des lettres anglaises ? Fallait-il tenir pour acquise quelque dégénérescence congénitale des héritiers de l'Empire colonial français, en comparaison de ceux de l'Empire britannique ? Ou bien reconnaître que le problème tenait au milieu littéraire lui-même, à son étrange art poétique tournant comme un derviche tourneur[2] sur lui-même, et à cette vision d'une

1. ***Carlos Fuentes*** : écrivain et essayiste mexicain né en 1928.
2. ***Derviche tourneur*** : religieux musulman appartenant à une confrérie dont la danse ressemble aux mouvements d'une toupie, jusqu'à une sorte de transe destinée à recueillir la grâce d'Allah.

francophonie sur laquelle une France mère des arts, des armes et des lois continuait de dispenser ses lumières, en bienfaitrice universelle, soucieuse d'apporter la civilisation aux peuples vivant dans les ténèbres ? Les écrivains antillais, haïtiens, africains qui s'affirmaient alors n'avaient rien à envier à leurs homologues de langue anglaise. Le concept de « créolisation » qui alors les rassemblait, à travers lequel ils affirmaient leur singularité, il fallait décidément être sourd et aveugle, ne chercher en autrui qu'un écho à soi-même, pour ne pas comprendre qu'il s'agissait déjà rien de moins que d'une autonomisation de la langue.

Soyons clairs : l'émergence d'une littérature-monde en langue française consciemment affirmée, ouverte sur le monde, transnationale, signe l'acte de décès de la francophonie. Personne ne parle le francophone, ni n'écrit en francophone. La francophonie est de la lumière d'étoile morte. Comment le monde pourrait-il se sentir concerné par la langue d'un pays virtuel ? Or c'est le monde qui s'est invité aux banquets des prix d'automne. À quoi nous comprenons que les temps sont prêts pour cette révolution.

Elle aurait pu venir plus tôt. Comment a-t-on pu ignorer pendant des décennies un Nicolas Bouvier et son si bien nommé *Usage du monde* ? Parce que le monde, alors, se trouvait interdit de séjour. Comment a-t-on pu ne pas reconnaître en Réjean Ducharme un des plus grands auteurs contemporains, dont *L'Hiver de force*, dès 1970, porté par un extraordinaire souffle poétique, enfonçait tout ce qui a pu s'écrire depuis sur la société de consommation et les niaiseries libertaires ? Parce qu'on regardait alors de très haut la « Belle Province », qu'on n'attendait d'elle que son accent savoureux, ses mots gardés aux parfums de vieille France. Et l'on pourrait égrener les écrivains africains, ou antillais, tenus pareillement dans les marges : comment s'en étonner, quand le concept de créolisation se trouve réduit en son contraire, confondu avec un slogan de United Colors of Benetton ? Comment s'en étonner si l'on s'obstine à postuler un lien charnel exclusif entre la nation et la langue qui en exprimerait le génie singulier – puisqu'en toute rigueur l'idée de « francophonie » se donne alors comme le dernier avatar du colonialisme ? Ce qu'entérinent ces prix d'automne est le constat inverse : que le pacte colonial se trouve brisé, que la langue délivrée devient l'affaire de tous, et que, si l'on s'y tient fermement, c'en sera fini des temps du mépris et de la suffisance. Fin de la « francophonie », et naissance d'une littérature-monde en français : tel est l'enjeu, pour peu que les écrivains s'en emparent.

Littérature-monde parce que, à l'évidence multiples, diverses, sont aujourd'hui les littératures de langue française de par le monde, formant un vaste ensemble dont les ramifications enlacent plusieurs continents. Mais littérature-monde, aussi, parce que partout celles-ci nous disent le monde qui devant nous émerge, et ce faisant retrouvent après des décennies d'« interdit de la fiction » ce qui depuis toujours a été le fait des artistes, des romanciers, des créateurs : la tâche de donner voix et visage à l'inconnu du monde – et à l'inconnu en nous. Enfin, si nous percevons partout cette effervescence créatrice, c'est que quelque chose en France même s'est remis en mouvement où la jeune génération, débarrassée de l'ère du soupçon, s'empare sans complexe des ingrédients de la fiction pour ouvrir de nouvelles voies romanesques. En sorte que le temps nous paraît venu d'une renaissance, d'un dialogue dans un vaste ensemble polyphonique, sans souci d'on ne sait quel combat pour ou contre la prééminence de telle ou telle langue ou d'un quelconque « impérialisme culturel ». Le centre relégué au milieu d'autres centres, c'est à la formation d'une constellation que nous assistons, où la langue libérée de son pacte exclusif avec la nation, libre désormais de tout pouvoir autre que ceux de la poésie et de l'imaginaire, n'aura pour frontières que celles de l'esprit.

Liste des signataires : Muriel Barbery, Tahar Ben Jelloun, Alain Borer, Roland Brival, Maryse Condé, Didier Daeninckx, Ananda Devi, Alain Dugrand, Édouard Glissant, Jacques Godbout, Nancy Huston, Koffi Kwahulé, Dany Laferrière, Gilles Lapouge, Jean-Marie Laclavetine, Michel Layaz, Michel Le Bris, J-MG Le Clézio, Yvon Le Men, Amin Maalouf, Alain Mabanckou, Anna Moï, Wajdi Mouawad,

Nimrod, Wilfried N'Sondé, Esther Orner, Erik Orsenna, Benoît Peeters, Gisèle Pineau, Jean-Claude Pirotte, Grégoire Polet, Jean-Luc V. Raharimanana, Patrick Rambaud, Patrick Raynal, Jean Rouaud, Boualem Sansal, Dai Sitje, Brina Svit, Lyonel Trouillot, Anne Vallaeys, Jean Vautrin, André Velter, Gary Victor, Abdourahman A. Waberi.

«Pour une "littérature-monde" en français»,

1. Recherchez quels ont été les lauréats des prix littéraires de l'automne 2006 cités au début de l'article.

2. Expliquez en quoi consiste la « révolution copernicienne » évoquée.

3. Faites une courte recherche sur la notion de francophonie (naissance du terme, sens littéraire et symbolique de la notion, existence politique actuelle). Expliquez brièvement pourquoi l'article lui préfère l'expression « littérature-monde ».

4. De façon ordonnée et synthétique, expliquez ce qui justifie, selon les auteurs, l'existence de ce manifeste.

5. À partir du dernier paragraphe de l'article, formulez les caractéristiques de la « littérature-monde » dont les auteurs souhaitent l'émergence.

6. Dans quelle mesure peut-on dire que les signataires du manifeste sont des écrivains engagés ?

7. La démarche des signataires correspond-elle à la position de Sartre telle qu'elle est exprimée dans l'extrait de *Situations II* (voir *supra*, p. 109) ?

8. « Choisir son camp » consiste à s'appauvrir, selon le personnage de la nouvelle « Afropean Soul » ; cette affirmation vous semble-t-elle pouvoir être appliquée au manifeste présenté ici ? Vous justifierez votre avis de façon argumentée et ordonnée.

Le prix Goncourt

En 2006, Léonora Miano obtenait le prix Goncourt des Lycéens, pour son roman *Contours du jour qui vient*. Ce prix est le jeune frère du plus célèbre des prix littéraires français, le prix Goncourt, imaginé par celui à qui il doit son nom, Edmond de Goncourt, à la fin du XIXe siècle.

Le prix Goncourt

Il est le plus prestigieux des prix littéraires français et, depuis 1903, récompense, une œuvre de fiction en prose.
Après la mort de son frère Jules en 1870, Edmond de Goncourt rédige son testament. Celui-ci prévoit après sa mort, survenue en 1896, la création d'un prix littéraire et en précise les contours : récompenser chaque année une œuvre de fiction nouvelle de langue française. La « société littéraire » créée par les frères Goncourt, devenue ensuite l'académie Goncourt, s'oppose très explicitement à l'Académie française, jugée, à la fin du XIXe siècle, peu encline à accueillir en son sein des écrivains novateurs (la liste des refusés célèbres du siècle est connue : Baudelaire, Balzac, Flaubert, Zola...).
Voici un extrait du testament d'Edmond de Goncourt.

Ceci est mon testament.

Moi, Edmond Huot de Goncourt, sain d'esprit, réfléchissant à l'ébranlement de ma santé depuis la mort de mon frère, songeant à la servitude de la mort, à l'incertitude de son heure, et de peur d'être prévenu par elle ainsi que l'a dit mon maître le Duc de Saint-Simon, j'écris et je signe de ma main ce présent testament.

Considérant que je laisse les parents qui me sont affectionnés et chers dans un état de fortune tel qu'ils n'ont pas besoin de mon bien après ma mort, je dispose de ce que je possède ainsi qu'il suit : je nomme pour exécuteur testamentaire, mon ami Alphonse Daudet, à la charge par lui de constituer, dans l'année de mon décès, à perpétuité, une société littéraire dont la fondation a été, tout le temps de notre vie d'hommes de lettres, la pensée de mon frère et la mienne et qui a pour objet la création ci-dessous :

1. D'un prix annuel de 5000 francs destiné à un ouvrage littéraire.

2. D'une rente annuelle de 6000 francs au profit de chacun des membres de la société.

Les choses ont changé depuis. Si les membres de l'académie sont toujours dix, conformément au projet initial, ils ne bénéficient plus de rentes, et le lauréat ou la lauréate reçoit un chèque symbolique de 10 €. Un membre nouveau est choisi, par cooptation, après le décès de l'un d'entre eux.

Après la publication d'une première liste comportant une quinzaine de titres au début du mois de septembre, les Dix dévoilent le nom du vainqueur début novembre, dans un salon du restaurant Drouant, place Gaillon, à Paris, lieu de réunion mensuel et traditionnel des membres de l'académie.

Si le prix confère au lauréat un statut d'écrivain reconnu et assure à l'œuvre récompensée un succès de librairie – ce qui permet à son auteur de se consacrer sereinement à la littérature pendant quelques années –, il est cependant régulièrement au cœur de polémiques, de deux natures.

On reproche à l'académie Goncourt de récompenser des œuvres d'inégale qualité ; à Proust, couronné en 1918 pour *À l'ombre des jeunes filles en fleurs*, succède Ernest Pérochon, peu lu aujourd'hui. En 1932, l'académie préfère Guy Mazeline, pour *Les Loups*, au *Voyage au bout de la nuit* de Louis-Ferdinand Céline. Le reproche le plus récurrent cependant est le manque d'impartialité imputée aux membres du jury, qui opéreraient leur choix en partie en fonction des intérêts des maisons d'édition en présence, Gallimard, Grasset et Le Seuil étant récompensés à une fréquence que certains trouvent suspecte.

Le prix, à l'origine censé offrir à un écrivain de talent de quoi pratiquer son art loin des vicissitudes du quotidien, a été rattrapé par des querelles commerciales. Et c'est bien là toute l'ambiguïté du « prix » littéraire, que le double sens du terme laisse entrevoir : tout en distinguant une œuvre, il l'inscrit dans un circuit commercial, en fait un enjeu financier et de prestige pour l'éditeur ; en une formule, il donne un prix, une valeur marchande à une création artistique. Au prix de vente du livre, indiqué sur la couverture, se superpose sa valeur du moment, sa cote qui, comme à la Bourse, peut varier en fonction de critères très subjectifs.
Il n'est peut-être pas indifférent que ce soit la fin du XIXe siècle, dominé politiquement par la bourgeoisie d'affaires, qui ait conçu l'idée de pouvoir fixer une échelle des valeurs artistiques.

Le prix Goncourt des Lycéens

L'idée naît en Bretagne en 1986 : un professeur de lettres trouve originale la suggestion de ses élèves – lire une partie des romans de la rentrée littéraire. Deux années plus tard, une dizaine de classes rennaises décernent, de façon officieuse, le premier prix des lycéens, qui couronne Erik Orsenna, lauréat du prix Goncourt le même jour.
Le succès de l'initiative ne fait que croître. L'Académie Goncourt accepte officiellement que le prix s'appelle prix Goncourt des Lycéens dès 1989, à la condition que les élèves s'en tiennent strictement à la liste établie par leurs aînés.
D'abord régional puis national, le prix concerne chaque année plus de cinquante lycées et s'étend à la francophonie ; sa mise en place et son bon déroulement nécessitent le partenariat conjoint du ministère de l'Éducation nationale, de l'académie de Rennes, de l'association Bruit de lire et de la Fnac, qui offre à chaque classe plusieurs jeux de la douzaine d'ouvrages sélectionnés. Chaque classe participant au Goncourt des Lycéens découvre la sélection début septembre. Commence alors une période d'intense lecture, d'échanges et d'activités pédagogiques diverses. Une rencontre est organisée à mi-parcours entre une partie

des écrivains et les lycéens dans des capitales régionales. À la fin de la période de lecture, après des débats, des recherches, chaque classe choisit ses trois ouvrages préférés et désigne celui ou celle qui défendra ce choix lors de l'étape régionale du prix, quelques jours avant la finale rennaise. Chaque jury régional, après un débat à huis clos, choisit à nouveau les trois œuvres qui emportent l'adhésion et désigne deux élèves pour participer aux délibérations finales.
Les membres du jury lycéen ainsi constitué se réunissent au café rennais La Chope, lieu devenu aussi traditionnel que le restaurant Drouant, et le ou la présidente du Goncourt des Lycéens annonce en direct sur France 3, à la mi-journée, l'œuvre choisie.
S'il s'agit là encore de donner un « prix » à une œuvre littéraire, celui-ci se distingue de tous les autres de deux façons ; il est impossible de soupçonner une connivence quelconque entre lycéens et auteurs ou entre lycéens et maisons d'édition. Le lauréat ou la lauréate n'est pas présent à Rennes lorsque son livre est choisi. Difficile d'y voir uniquement un coup médiatique : il est avant tout l'occasion de rendre la lecture vivante, de favoriser débats, recherches et découvertes d'univers esthétiques contemporains, de faire du livre un échange, au sein de la classe mais aussi lors de la rencontre d'écrivains de la sélection, de l'inscrire dans la vie quotidienne des lycéens.

Les classiques et les contemporains dans la même collection

ALAIN-FOURNIER
Le Grand Meaulnes (353)

ANDERSEN
La Petite Fille et les allumettes et autres contes (171)

ANOUILH
La Grotte (324)

APULÉE
Amour et Psyché (2073)

ASIMOV
Le Club des Veufs noirs (314)

AUCASSIN ET NICOLETTE (43)

BALZAC
Le Bal de Sceaux (132)
Le Chef-d'œuvre inconnu (2208)
Le Colonel Chabert (2007)
Ferragus (48)
Le Père Goriot (349)
La Vendetta (28)

BARBEY D'AUREVILLY
Les Diaboliques – Le Rideau cramoisi, Le Bonheur dans le crime (2190)

BARRIE
Peter Pan (2179)

BAUDELAIRE
Les Fleurs du mal – *Nouvelle édition* (115)

BAUM (L. FRANK)
Le Magicien d'Oz (315)

BEAUMARCHAIS
Le Mariage de Figaro (354)

LA BELLE ET LA BÊTE ET AUTRES CONTES (90)

BERBEROVA
L'Accompagnatrice (6)

BERNARDIN DE SAINT-PIERRE
Paul et Virginie (2170)

LA BIBLE
Histoire d'Abraham (2102)
Histoire de Moïse (2076)

BOVE
Le Crime d'une nuit. Le Retour de l'enfant (2201)

BRADBURY
L'Heure H et autres nouvelles (2050)
L'Homme brûlant et autres nouvelles (2110)

CARRIÈRE (JEAN-CLAUDE)
La Controverse de Valladolid (164)

CARROLL
Alice au pays des merveilles (2075)

CERVANTÈS
Don Quichotte (234)

CHAMISSO
L'Étrange Histoire de Peter Schlemihl (174)

LA CHANSON DE ROLAND (2151)

CATHRINE (ARNAUD)
Les Yeux secs (362)

CHATEAUBRIAND
Mémoires d'outre-tombe (101)

CHEDID (ANDRÉE)
L'Enfant des manèges et autres nouvelles (70)
Le Message (310)
Le Sixième Jour (372)

CHRÉTIEN DE TROYES
Lancelot ou le Chevalier de la charrette (116)
Perceval ou le Conte du graal (88)
Yvain ou le Chevalier au lion (66)

CLAUDEL (PHILIPPE)
Les Confidents et autres nouvelles (246)

COLETTE
Le Blé en herbe (257)

COLIN (FABRICE)
Projet oXatan (327)

COLLODI
Pinocchio (2136)

CORNEILLE
Le Cid – *Nouvelle édition* (18)

DAUDET
Aventures prodigieuses de Tartarin de Tarascon (2210)
Lettres de mon moulin (2068)

DEFOE
Robinson Crusoé (120)

DIDEROT
Entretien d'un père avec ses enfants (361)
Jacques le Fataliste (317)
Le Neveu de Rameau (2218)
Supplément au Voyage de Bougainville (189)

DOYLE
Le Dernier Problème. La Maison vide (64)
Trois Aventures de Sherlock Holmes (37)

DUMAS
Le Comte de Monte-Cristo (85)
Pauline (233)
Les Trois Mousquetaires, t. 1 et 2 (2142 et 2144)

FABLIAUX DU MOYEN ÂGE (71)

LA FARCE DE MAÎTRE PATHELIN (3)

LA FARCE DU CUVIER ET AUTRES FARCES DU MOYEN ÂGE (139)

FENWICK (JEAN-NOËL)
Les Palmes de M. Schutz (373)

FERNEY (ALICE)
Grâce et Dénuement (197)

FEYDEAU-LABICHE
Deux courtes pièces autour du mariage (356)

FLAUBERT
La Légende de saint Julien l'Hospitalier (111)
Un cœur simple (47)

GARCIN (CHRISTIAN)
Vies volées (346)

GAUTIER
Le Capitaine Fracasse (2207)
La Morte amoureuse. La Cafetière et autres nouvelles (2025)

GOGOL
Le Nez. Le Manteau (5)

GRAFFIGNY (MME DE)
Lettres d'une péruvienne (2216)

GRIMM
Le Petit Chaperon rouge et autres contes (98)

GRUMBERG (JEAN-CLAUDE)
L'Atelier (196)
Zone libre (357)

HIGGINS (COLIN)
Harold et Maude – *Adaptation de Jean-Claude Carrière* (343)

HOBB (ROBIN)
Retour au pays (338)

HOFFMANN
L'Enfant étranger (2067)
L'Homme au Sable (2176)
Le Violon de Crémone. Les Mines de Falun (2036)

HOLDER (ÉRIC)
Mademoiselle Chambon (2153)

HOMÈRE
Les Aventures extraordinaires d'Ulysse (2225)
L'Iliade (2113)
L'Odyssée (125)

HUGO
Claude Gueux (121)
L'Intervention *suivie de* La Grand'mère (365)
Le Dernier Jour d'un condamné (2074)
Les Misérables, t. 1 et 2 (96 et 97)
Notre-Dame de Paris (160)
Quatrevingt-treize (241)
Le roi s'amuse (307)
Ruy Blas (243)

JAMES
Le Tour d'écrou (236)

JARRY
Ubu Roi (2105)

KAFKA
La Métamorphose (83)

KAPUŚCIŃSKI
Autoportrait d'un reporter (360)

LABICHE
Un chapeau de paille d'Italie (114)

LA BRUYÈRE
Les Caractères (2186)

LONDON (JACK)
L'Appel de la forêt (358)

MME DE LAFAYETTE
La Princesse de Clèves (308)

LA FONTAINE
Le Corbeau et le Renard et autres fables – *Nouvelle édition des* Fables, *collège* (319)
Fables, *lycée* (367)

LANGELAAN (GEORGE)
La Mouche. Temps mort (330)

Les anthologies dans la même collection

Création maquette intérieure :
Sarbacane Design.

Dépôt légal : avril 2008
Numéro d'édition : L01EHRN000189.C004

Imprimé en Espagne par Novoprint (Barcelone)